ONI BAI

Eigra Lewis Roberts

Gomer

Argraffiad cyntaf – 2005

ISBN 1 84323 563 3

Dymuna'r cyhoeddwyr gydnabod cymorth
Adrannau Cyngor Llyfrau Cymru

Argraffwyd yng Nghymru gan
Wasg Gomer, Llandysul, Ceredigion

I Llew,
am fod yn gefn i mi.

Diolch i Wasg Gomer am eu gofal
ac yn arbennig i
Bethan Mair am ei chydweithrediad parod

CYNNWYS

Un, dau, tri 11

Hen fenyw fach 21

’Tasa gen i ful bach 28

Moelyn ŵy melyn 40

Dafad gorniog 50

Ladis bach 58

Pwdin yn brin 70

Ifan bach 80

Bachgen da ’di Dafydd 92

Gee ceffyl bach 102

Un, dau, tri

Cafodd Bet Morgan ei deffro o gwsg braf ar fainc yn yr ardd gan glep giât y drws nesaf a sŵn traed yn chwipio drwy raean y llwybr.

'Oes raid i ti neud gymint o sŵn, d'wad?' galwodd.

'Sori, Anti Bet.'

Agorodd ei llygaid yn araf. Roedd o'n sefyll rhyngddi a'r haul ac yn dwyn ei wres i gyd.

'Cysgu oeddach chi?'

'Trio 'te. 'Taswn i wedi ca'l llonydd.'

'Sori. Mewn ydi'r lle gora i chi ar dywydd fel'ma. Ydach chi isio help i godi?'

'Na, mi wna i yn fy amsar fy hun. Dos di adra at dy fam. Mi dw i wedi bod yn poeni'n 'i chylch hi.'

'Pam 'lly?'

'Dydw i ddim wedi gweld golwg ohoni drwy'r dydd. Y gwres yn deud arni falla.'

'Siŵr o fod. Dydach chitha ddim yn edrych rhy dda.'

'Mi faswn i'n iawn oni bai am y gwybad bach 'ma. Maen nhw'n fy myta i'n fyw.'

'Mi fydda pawb yn iawn oni bai am rwbath.'

Roedd hi'n cosi drosti a phrin y gallai gadw ei llygaid ar agor. Wrth iddi fustachu i godi oddi ar y fainc, clywodd ddrws cefn yn clepian a thrwst rhywbeth trwm yn taro'r llawr. Eunice druan. Sut oedd hi'n gallu dygymod â'r holl sŵn? Ond ni chlywsai mohoni'n cwyno am hynny. Am bawb a phob dim arall, do, ganwaith, ond erioed am Trefor. Pam y dylai wastraffu'i chydymdeimlad ar un a gredai fod yr haul yn codi ac yn machlud efo'i mab? Nid oedd ganddi hi neb i dosturio wrthi, neb i falio beth ddeuai ohoni. A'r hogyn 'na, oedd wedi cipio'i chwsg a'r haul oddi arni, â'r wynab i ddeud y bydda pawb yn iawn oni bai am rwbath.

Gadawodd Trefor ei esgidiau lle'r oedden nhw wedi glanio. Safodd yno yn nhraed ei sanau, yn disgwyl am y cwestiwn arferol, 'Chdi sydd 'na, Tref?' Ond doedd 'na'r un smic i'w glywed.

'P.C. Jones sy 'ma,' galwodd ar ucha'i lais. Dim smic wedyn chwaith. Gwthiodd ddrws y gegin yn agored â'i droed. A dyna lle'r oedd hi, yn eistedd wrth y bwrdd a'i phen yn ei dwylo.

'Chwara cuddio dach chi?'

Bytheiriodd yn uchel cyn ei sodro ei hun ar gadair gyferbyn.

'Be sydd 'na i swpar?'

'Ddylat ti ddim fod wedi deud hynna.'

'Ond mi dw i'n llwgu.'

'Bygwth plismon arna i, heddiw o bob dwrnod.'

'Dim ond herian o'n i 'te. A pam heddiw o bob dwrnod?'

'Mi dw i wedi'i ladd o, dydw?'

'Lladd pwy?

'Hwn.'

Agorodd ei dwrn a gwelodd yntau gorff marw pry bach yn gorwedd ar ei chledr.

'Roedd o wedi bod yn fy mhlagio i drwy'r bora, ond ddylwn i ddim fod wedi'i ladd o.'

Roedd yr hen fynwent lle cawsai ef ei anfon i dorri gwair – efo cryman gan nad oedd modd cael peiriant yn agos i'r lle – yn berwi o bryfad. Byddai wedi difa degau ohonyn nhw petai ond yn gallu eu dal.

'Be ydi un pry ymhlith milodd 'te? Rhowch o'n y bin, da chi.'

'Na, fedra i ddim.'

'Gnewch be liciwch chi efo fo. Mi dw i'n mynd i ga'l bath.'

'Does 'na ddim dŵr poeth. Anghofio wnes i.'

'Dim dŵr poeth, dim tamad o fwyd. Be dw i 'di neud i'ch pechu chi?'

'Dw't ti 'di gneud dim, Tref bach. Fi sydd wedi pechu. 'Na ladd', dyna ma'r Beibil yn ei ddeud.'

'Ond dim ond blydi pry ydi o!'

'Roedd hwnnw'n haeddu ca'l byw fel pawb arall.'

Cododd yn afrosgo, ei ddillad yn glynu wrtho a'i stumog yn rymblan, a throedio'n drwm i fyny'r grisiau. Gorweddai'r lliain yn lwmp soeglyd ar lawr yr ystafell ymolchi lle'r oedd o wedi'i ollwng y bore hwnnw. Dim bwyd, dim dŵr poeth, dim lliain sychu hyd yn oed. A'r cwbwl oherwydd rhyw damad o bry.

Peth anodd oedd 'molchi fesul darn i ddyn o'i faint o. Ceisiodd ei sychu ei hun orau y medrai cyn mynd drwodd i'w lofft i newid i ddillad glân. Ond doedd rheiny ddim lle dylen nhw fod, yn bentwr taclus ar draed y gwely, a bu'n rhaid iddo wisgo'r un dillad, y crys yn drewi o chwys a'r trowsus yn stremp o staeniau gwair a baw cŵn.

Pan ddychwelodd i'r gegin, roedd hi'n dal yn yr un lle.

'Nei di rwbath i mi?' holodd yn floesg.

'Os medra i. Ond ddim cyn bwyd.'

'Tyd â bocs matsys i mi, 'na hogyn da.'

Estynnodd y bocs iddi. Tywalltodd hithau'r matsys ar y bwrdd. Sawl gwaith yr oedd hi wedi swnian arno i roi'r gorau i smocio? A gan fod hynny wedi methu, efallai ei bod hi am geisio cael perswâd arno drwy ei lwgu a'i amddifadu o ddillad glân . . . manteisio ar ei wendid.

'Ylwch, dydi rŵan mo'r amsar . . . Be gythral dach chi'n drio'i neud?'

Roedd hi wedi gafael yn y pry yn ofalus rhwng bys a bawd ac yn ei osod i orwedd yn y bocs.

'Mi dw i am i ti 'i gladdu o yn yr ardd.'

'Be ddeudoch chi?'

'Gna di dwll digon dwfn fel na fedar yr hen gathod 'na 'i gyrradd o.'

'Fasa chi'n licio i mi ffonio'r gw'nidog i ofyn iddo fo roi gair o goffa? A falla bydda Anti Bet yn fodlon canu "Yn y dyfroedd mawr a'r tonna".'

'Does dim isio i honno wbod dim. Na'r cysurwr Job 'na chwaith. Mi fedrwn ni'n dau neud yn iawn rhyngon.'

'Dach chi rioed yn disgwyl i mi gladdu pry?'

Roedd y gwres wedi deud arni, mae'n rhaid. Hynny, neu ei bod hi'n dechra drysu. Cythrodd Trefor am y bocs a gwagio'i gynnwys i'r bin. Y munud nesaf, teimlodd law ei fam yn clecian yn erbyn ei foch.

'Ddylat ti ddim fod wedi gneud hynna'r cythral bach hunanol, dideimlad,' sgrechiodd. 'Gwrthod un gymwynas i dy fam a hitha wedi aberthu pob dim er dy fwyn di.'

Er na fu iddo ond prin deimlo'r glustan, roedd ei bod wedi gallu codi'i llaw i'w daro yn ei frifo i'r byw. Ac nid yn unig hynny, ond edliw yr hyn yr oedd hi wedi'i roi, o'i bodd, ei regi a'i alw'n hunanol a dideimlad. Y fo, na chafodd erioed gyfle i wrthod.

Pwt bach oedd o pan adawodd ei dad. Gallai gofio teimlo gwlybaniaeth ar ei wyneb pan ddaeth i'w lofft i roi cusan nos da iddo, cofio ymylon y lluniau ohono'n cyrlio wrth i'w fam eu taflu fesul un i'r tân, a'i chlywed yn dweud, 'Dim ond ti a fi sydd 'na rŵan.' Ac efo'i gilydd y buon nhw byth wedyn, yn cerdded law yn llaw, yna fraich ym mraich, am siop a chapel a'r pictiwrs cyntaf ar nos Sadwrn. Yr hogiau yng nghiw'r ail dŷ'n crechwenu wrth eu gweld yn gadael ac yn ei bledu â'r cerrig o eiriau, 'Babi mam, cadi ffan.' Mam yn gwasgu ei fraich yn dynnach ac yn sibrwd yn ei glust, 'Hidia befo rheina. Mi tretia i di i fish a chips a pys slwj.'

Pan ddeuai adref o'r ysgol, yr unig le y câi o fynd ar ei ben ei hun, byddai llond y gegin o Antis yn yfed te ac yn crenshian bisgedi – Anti Bet yr hen het, Anti Sal dwl-lal, Anti Susan ddim llawn llathan. Fe fydden nhw'n cau'n glep wrth ei weld, yn gwagio'u cwpanau, yn cyffwrdd ysgwydd Mam wrth groesi at y drws ac yn dweud, 'Mi fyddi di'n iawn rŵan fod Trefor efo chdi.' Roedd o wedi swatio y tu allan i'r ffenestr i wrando arnyn nhw unwaith ac wedi llwyddo i ddal ambell frawddeg yma ac acw. 'A chditha wedi gneud cymint iddo fo, Eunice.' 'Baw isa'r doman, dyna be oedd o.' 'Pry odd'ar be-chi'n-galw.' Bu'n swp sâl am ddyddiau wedyn wrth feddwl fod ganddo dad mor ddrwg. A Mam yn dal cadach tamp ar ei dalcen ac yn dweud, 'Fyny â fo. Mi fyddi di'n iawn wedyn.'

Roedd yr un blas chwerw yn llenwi'i geg pan ofynnodd y cwestiwn y bu eisiau ei ofyn ers blynyddoedd.

'Ydw i'n debyg i 'Nhad?'

'Pam sôn am hwnnw rŵan?'

'Wel, ydw i?'

'Ro'n i'n arfar meddwl nad oeddat ti ddim.'

'Roedd o'n crio pan ddaeth o i ddeud ta ta wrtha i.'

'Dydw i ddim isio gwbod.'

'Ond mi dw i.'

'Pam w't ti'n 'y mhoeni i fel'ma? W't ti'm yn meddwl 'mod i wedi diodda digon?'

'A be amdana i?'

'Chdi?'

'Dydi bod heb dad ddim yn beth braf. Ydach chi'n cofio be fydda'r hogia y tu allan i'r pictiwrs yn 'y ngalw i?'

'Dyna w't ti 'te. Dibynnu arna i am bob dim. Gollwng dy ddillad drewllyd hyd y lle, ista wrth y bwrdd 'ma a dy geg yn gorad fel cyw deryn yn barod i gymryd 'i fwydo.'

'Mi dw i be ydach chi wedi 'ngneud i.'

'Os ma dyna'r diolch ydw i'n 'i ga'l mi gei neud dy fwyd dy hun o hyn allan, a golchi dy hen ddillad budron hefyd. Rydw i'n mynd i 'ngwely.'

Bu'n chwalu drwy bob drôr cyn dod o hyd i'r gyllell fara a'i chael, yn y diwedd, yn y bocs bara. Torrodd wadnau clocsiau o frechdanau, y briwsion yn tasgu ar y llawr teils. Tra oedd yn disgwyl i'r tecell ferwi, aeth â'r bin drwodd i'r cefn a'i wagio i'r bin mawr. 'Baw at faw, lludw at ludw,' gwaeddodd, cyn gollwng y caead yn glep.

'Trefor?'

'Chi sy 'na, Anti Bet?'

'Meddwl 'mod i wedi clywad rhyw sŵn.'

'Sori. 'Nes i'ch dychryn chi?'

'Do, braidd. Sut ma dy fam?'

'Wedi mynd i'w gwely. Methu diodda'r gwres. Sut dach chi erbyn hyn?'

'Dipyn gwell, diolch i ti am ofyn.'

'Diawliad ydi pryfad 'te? Fedran nhw ddim gadal llonydd i rywun.'

'Mi fydda'r byd yn llawar iachach hebddyn nhw.'

Roedd golwg wedi blino ar yr hogyn, meddyliodd Bet. Dyn, o ran hynny. Nid oedd dim yn weddill o'r hogyn bach tenau, llwyd a gofiai'n cyrraedd adra o'r ysgol fel petai'n cario holl ofidiau'r byd ar ei ysgwyddau.

'Mi fedrwch neud efo panad dw i'n siŵr, Anti Bet.'

'Well i mi beidio. Dydw i ddim isio styrbio dy fam.'

'Mae hi'n siŵr o fod yn cysgu'n sownd bellach.'

'Dydw i ddim wedi gallu cysgu winc ers nosweithia . . . y gwres 'ma'n pwyso arna i.'

'A finna'n 'ych deffro chi pnawn 'ma. Sori. Mewn â chi.'

'Ar d'ôl di.'

Dilynodd Trefor i'r gegin gan gau'r drws yn dawel bach o'i hôl.

'Steddwch.'

Roedd hi wedi eistedd yma gannoedd o weithiau dros y blynyddoedd, ond byth yn ystod y min nos. Y hi a Sal a Susan, yn cadw cwmni i Eunice tra oedd Trefor yn yr ysgol a'r gwaith ac yn cynnig cysur iddi er eu bod nhw ddigon o angen hwnnw eu hunain.

''Ma chi. Y banad ora gawsoch chi rioed.'

'Oes gen ti chydig o siwgwr i sbario?'

‘Mae’n siŵr fod ’na beth yma’n rwla.’

‘Yn y cwpwrdd ar y wal falla?’

Teimlodd Bet y llawr yn crynu dan ei gwadnau wrth iddo groesi at y cwpwrdd.

‘Mi dach chi’n iawn. Mi fydda i’n gwbod lle i’w ga’l o tro nesa.’

Sodrodd y paced siwgwr ar y bwrdd, ei ollwng ei hun ar gadair, a chythru am y pentwr brechdanau fel petai heb weld bwyd ers dyddiau.

‘Mae dy fam wedi gofalu nad w’t ti’n llwgu, beth bynnag. Mi dw i’n cofio fel bydda hi’n poeni’n dy gylch di pan oeddat ti’n hogyn . . . byta nesa peth i ddim.’

‘Ac yn ’y mwydo i fel cyw deryn.’

‘Mi w’t ti’n gyw go fawr erbyn rŵan.’

‘Ydw, dydw. Helpwch ’ych hun i frechdan.’

‘Wn i’m ddylwn i. Maen nhw’n deud fod caws yn beth drwg i’w fyta’n hwyr y nos.’

‘Ma pob dim yn gneud drwg i rywun. Dowch, ’stynnwch ati.’

Waeth iddi hynny ddim. Fe gâi arbed gwneud swper iddi ei hun, o leia.

Wrthi’n cnoi nes bod gewynnau’i hwyneb yn brifo yr oedd hi pan ofynnodd Trefor,

‘Mi dach chi’n cofio Dad, dydach?’

‘Ydw, siŵr.’

‘Sut un oedd o, Anti Bet?’

‘Dydi o mo’n lle i i ddeud.’

‘Oedd o’n ddyn drwg?’

‘Bobol annwyl, nag oedd. Tawal iawn. Ac yn meddwl y byd ohonat ti.’

‘Pam ddaru o ’ngadal i ’ta?’

'Doedd dy fam ac ynta ddim wedi'u gneud i fod efo'i gilydd . . . yn wahanol iawn i chdi a hi.'

'Dydw i ddim byd tebyg iddo fo, felly?'

'Mi oeddat ti ers talwm, yn debyg iawn.'

Erbyn i Bet orffen cnoi, roedd y plât brechdanau'n wag a Trefor yn pwyso'n ôl yn ei gadair, ei ên yn gorffwyso ar ei frest a'i lygaid yn dynn ynghau.

'Mi a' i rŵan, i ti ga'l llonydd,' sibrydodd.

Wrth iddi gripian ar flaenau'i thraed am y drws cefn, clywodd sŵn chwyrnu'n dod o'r gegin. Trwy lwc, gwelodd y ddwy esgid chwâl mewn digon o bryd i allu eu hosgoi. Cafodd ei themtio am funud i'w codi a'u gosod yn daclus, drwyn wrth drwyn, ond nid ei gwaith hi oedd hynny.

Wedi iddo wneud yn siŵr ei fod wedi cael ei gwared, rhoddodd Trefor y gorau i ffugio chwyrnu. Doedd gan yr hen het ddim syniad pryd i gau ei cheg. Ond gallai ddiolch am hynny heno.

Gadawodd y llestri budron ar y bwrdd. Roedd o wedi gwneud digon o ymdrech am un diwrnod. Dringodd y grisiau yn rhyfeddol o ddistaw o un o'i faint. Ond ni fyddai'n rhaid iddo fod wedi trafferthu. Deuai sŵn chwyrnu o lofft ei fam – y chwyrnu go iawn yr oedd wedi ei ddioddef yn ddirwgnach, fel pob dim arall, am yr holl flynyddoedd.

Cafodd gip arno'i hun yn nrych y bwrdd gwisgo wrth iddo groesi at y gwely. Y babi mam, cadi ffan, y cyw deryn, ei ben moel yn disgleirio yng ngolau'r lamp stryd y tu allan a'i fol yn llenwi'r gwydyr. Lle'r oedd yr hogyn bach esgyrniog hwnnw a'i wynab dima, oedd mor debyg i'w dad? Wedi'i ladd fesul tipyn gan hon oedd yn gorwedd yma yn y gwely dwbwl a'i phechod o ddifa un pry bach wedi mynd yn angof.

Gallai arogli chwys y diwrnod ar ei gorff wrth iddo estyn am y gobennydd sbâr na fu erioed ddefnydd iddo. Roedd ei glustiau'n llawn o hymian y pryfed a fu'n ei blagio drwy'r dydd, y diawliad nad oedd modd eu dal. 'Mi fydda'r byd yn llawar iachach hebddyn nhw.' Roedd yr hen het yn llygad ei lle am unwaith. Safodd yno am rai eiliadau yn syllu ar yr un a arferai gredu fod yr haul yn codi ac yn machlud efo'i mab, ei gorff trwm yn taflu'i gysgod drosti. Tynhaodd ei afael ar y gobennydd. Un . . . dau . . . tri.

Ni allai Bet yn ei byw setlo er bod y gwres wedi lliniaru a hithau wedi gofalu cau'r ffenestr cyn i'r gwybed bach ffeindio'u ffordd i'r llofft. Yr hen gaws 'na oedd y drwg, yn un lwmp yn ei stumog. Byddai'n well petai heb fynd yn agos i'r drws nesa. Doedd dim angen iddi boeni am Eunice. On'd oedd Trefor ganddi hi a'r ddau wedi'u gwneud i'w gilydd?

Hen fenyw fach

Un o'r Sowth oedd hi. O Gydweli, medda hi. Nid 'y mod i fymryn callach lle'r oedd fan'no, ond ro'n i'n cofio Nain yn adrodd pennill am ryw hen ddynas fach oedd yn cadw siop yno. Wyddwn i ar y ddaear be oedd losin du chwaith, ond roedd yr hen ddynas 'ma'n un ddigon ffeind mae'n rhaid. 'Yn gwerthu deg am ddima, ac un ar ddeg i mi' – dyna ddeudodd pwy bynnag oedd wedi sgwennu'r pennill.

Un o'r petha casa gen i oedd gorfod dysgu be oedd Lleuad Lawn yn ei alw'n farddoniaeth. Mi fedra i ei gweld hi rŵan, yn sefyll yno o'n blaena ni a'i llygid hi'n sgleinio fel 'tasa hi mewn cariad. 'Dim ond lleuad borffor,' medda hi. 'On'd ydi o'n ddarlun hyfryd!' Welis i rioed leuad biws, na chlywad afon yn canu, ond mae pobol sy'n sgwennu penillion yn ca'l deud be fynnan nhw. Roedd gen i biti drosti, yn gorfod dibynnu ar rwbath fel'na i neud i'w llygid hi sgleinio.

Mi rois fy llaw i fyny un dwrnod a deud fod gen inna bennill am y lleuad. Ifan drws nesa oedd wedi'i sgwennu o, medda fo, pan oedd o ar ei ffordd adra o'r Crown un noson. Rydw i'n dal i allu ei gofio fo, yr unig bennill i mi ei ddysgu rioed ar wahân i'r un am y fenyw fach:

> 'Hen leuad wen, hen leuad dlos,
> Rwyt ti yn llawn un waith y mis
> A finna'n llawn bob nos.'

Fy nghanmol i ddaru Lleuad Lawn, yr unig dro i hynny ddigwydd hefyd. Falla'i bod hi'n meddwl 'mod i wedi dechra cymryd diddordab yn y busnas barddoni 'ma ac y galla hynny ddŵad â sglein i'm llygid inna yn lle eu bod nhw'n hannar cau ac ôl cysgu'n eu congla nhw.

Fedrwn i ddim mynd i gysgu nes bod Mam adra. Roedd angan rhywun i'w helpu hi i fyny'r grisia a thynnu'r dillad gwely drosti. Nain fydda'n arfar gneud, a finna'n gorwadd yno'n gwasgu 'nannadd a 'nyrna nes 'mod i'n clywad drws llofft Mam yn cau a gwbod ei bod hi'n saff am un noson arall. Ond mi ddois i lawr un bora a'i cha'l hi'n gorwadd ar waelod y grisia yn rhochian cysgu a'i dillad hi'n stremp o chŵd. Ro'n i o 'ngho efo Nain, ond y cwbwl ddeudodd hi oedd ei bod hi wedi ca'l digon a na fedra hi neud dim mwy.

Chwerthin ddaru pawb pan ddeudis i'r pennill. Do'n i ddim yn meddwl ei fod o'n ddigri o gwbwl, ond siawns nad oedd lleuad wen yn gneud mwy o synnwyr na lleuad biws. Pan ofynnodd Lleuad Lawn pwy oedd wedi'i sgwennu o, mi fedrwn glywad un o'r hogia'n deud dan ei wynt, 'Ei fam o.'

Miss Jones Welsh oedd hi cyn hynny. Y dwrnod hwnnw y cafodd hi'r enw Lleuad Lawn, a dyna'r tro ola i mi roi fy llaw i fyny. 'W't ti isio clywad y pennill 'na sgwennis i eto?' medda Ifan un noson, pan o'n i'n hofran wrth y giât yn aros am Mam. 'Stwffia dy bennill lle ma'r mwnci'n rhoi'i gnau,' medda finna. Ro'n i'n meddwl ei fod o'n tynnu arna i'n fwriadol. Doedd o ddim, mi wn i hynny rŵan. Siarad amdano'i hun roedd o, nid Mam. Doedd o ddim gwaeth ar ôl noson yn y Crown. Mi fedra sefyll ar un goes a cherddad llinall syth a ffeindio'i wely heb ddim traffarth. Ond roedd yn gas gen i'r cythral. 'Yr hen fochyn meddw' fyddwn i'n ei alw fo, a Nain yn pletio'i gwefusa ac yn deud mai cau ceg oedd y peth calla i rai fel ni. 'Yfa i byth ddim byd cryfach na dŵr,' medda fi. A hitha'n edrych yn gam arna i, yn amlwg ddim yn fy nghredu i. On'd oedd hi wedi clywad Mam yn deud 'run peth ddega o weithia?

Mi dw i'n cofio Mam yn trio sefyll ar un goes ar ganol llawr y gegin un noson. Fi oedd wedi deud wrthi 'mod inna wedi ca'l digon ar ei gweld hi'n dŵad adra'n feddw gachu. 'Be w't ti'n 'i foddran, d'wad?' medda hi. 'Yli, dydw i ddim tamad gwaeth.' Ac i lawr â hi, a'i phen yn crenshian yn erbyn coes y bwrdd. Ond yr hen chwerthin gwirion hwnnw ddaru 'nychryn i fwya – chwerthin rhywun ddim yn gall. Ei chodi hi wnes i, be arall fedrwn i ei neud, a hannar ei chario hi i fyny'r grisia. Rhoi cadach tamp ar ei boch hi, oedd yn dechra cleisio, ac estyn y ddesgil chwydu. Doedd hi'n cofio dim byd drannoeth ac fe aeth allan 'run fath ag arfar a'i boch hi'n blastar o bowdwr, i guddio'r clais.

Dim ond Mam a Nain a fi oedd 'na a doeddan ni ddim angan neb arall. Roedd 'na ddyn wedi bod o gwmpas rywdro. Hwnnw oedd fy nhad i, medda Mam, ond y-dyn-oedd-isio-fy-lladd-i oedd o i mi ers pan ddeudodd Nain na fyddwn i yno o gwbwl petai o wedi cael ei ffordd, a'i fod o am i Mam ga'l 'y ngwarad i. Roedd hynny'n beth ofnadwy i hogyn bach ei wbod. Ond roedd Mam a Nain ddigon o f'isio i i ddeud wrtho fo am fynd i'r diawl a gwynt teg ar ei ôl o, ac fe fyddan ni wedi bod yn iawn – oni bai. Mi fyddwn inna wedi bod – ddim yn iawn, falla, ond gystal â medrwn i fod – oni bai. Gas gen i'r ddau air yna. 'Teimlo piti drosoch eich hun eto, ia?' meddan Nhw, sy'n meddwl eu bod nhw'n gwbod y cwbwl, heb wbod bygyr ôl. 'Ei chael hi'n haws beio rhywun arall?'

Nain oedd yr unig un fydda wedi deall, ond roeddan nhw wedi'i chartio hi i ffwrdd i ryw dŷ mawr yn llawn o hen bobol nad oedd ganddyn nhw glem lle'r oeddan nhw. Mi ges i fynd i'w gweld hi unwaith am fy mod i wedi addo bod yn hogyn da a gneud fel roeddan Nhw'n deud. Roedd hi'n edrych yr un fath ag arfar ac i weld wrth ei bodd. 'Ers pryd dach chi yma?' medda hi wrtha i. Siarad lol fuon ni wedyn, y ddau ohonon ni'n chwerthin fel 'tasa pob dim roeddan ni'n ei ddeud yn ofnadwy o ddigri. Pan o'n i'n gadal, mi fedrwn i glywad rhyw hen ddynas oedd wedi bod yn chwerthin yn ei dybla efo ni yn gofyn, 'Pwy oedd hwnna?' a Nain yn deud, 'Wn i ar ddaear.' Ches i ddim mynd yn agos yno wedyn. Ro'n i 'di gneud rwbath ddylwn i ddim ond does gen i'm mymryn o go be oedd o. Wn i ddim ydi Nain yn dal yno. Mi dw i 'di holi, lawar gwaith, ond does 'na neb yn cymyd sylw ohona i erbyn rŵan, dim ond deud wrtha i am gau 'ngheg a pheidio rwdlan.

Wnes i ddim byd ohoni yn yr ysgol. Sut medrwn i, a finna'n hannar cysgu drwy'r amsar? Do'n i'n dda i ddim i neb, ond Mam a Nain. Mi fyddwn yn aros yn fy ngwely tan berfeddion er mwyn bod yn ddigon effro pan fydda Mam yn cyrradd adra, ac yn mynd allan am dro i'r parc yn y pnawnia.

Yno ro'n i, yn smocio fel simdda, pan ddaeth yr hogan 'ma i ista ata i. Dynas oedd hi, o ran hynny, nid hogan, er ei bod hi'n gwisgo fel un. 'Shw'mai,' medda hi, reit glên. 'Iawn,' medda finna, gan gymyd ma gofyn sut o'n i roedd hi, er nad o'n i'n iawn, o bell ffordd, ond doedd hynny ddim o'i busnas hi na neb arall. Dyna'r cwbwl o'n i am ei ddeud wrthi. Un waith yn unig y rhois i fy llaw i fyny a dewis deud, a mi dw i'n dal i ddiodda. P'un bynnag, fedrwn i ddim fod wedi deud mwy hyd yn oed 'taswn i isio. Ro'n i wedi dal fy nhafod mor hir fel ei fod o wedi rhewi'n gorn ac yn llond fy ngheg i. Ond doedd 'na ddim byd o'i le ar ei thafod hi. Doedd gen i fawr o syniad be oedd hi'n ei ddeud. Mi fedris ddeall digon i wbod ei bod hi wedi symud i fflat yn y dre a na fedra hi ddim diodda'r lle na'r bobol, mwy na fedrwn inna. 'A beth chi'n feddwl o'r Sowth?' medda hi. Gwenu ddaru hi pan ddeudis i nad o'n i rioed wedi bod ymhellach na Dolgella a deud, 'So chi 'di byw 'te.' Roedd hi'n iawn, er nad oedd nelo hynny ddim â gweld be oedd y tu draw i Ddolgella.

Roedd hi yno'n aros amdana i bnawn trannoeth a phob pnawn arall, nes i ni orfod symud i'r fflat am ei bod hi'n rhy oer i sefyllian yn y parc. Ro'n i wedi dechra dŵad i'w deall hi erbyn hynny, er 'mod i'n gorfod gofyn iddi gyfieithu rhai geiria. Mae'n siŵr gen i ei bod hi tua'r un oed â Mam ond bod gwyn ei llygid hi cyn wynnad â'r lleuad a'i bocha hi mor feddal â phen ôl babi. Doedd y gweddill ohoni ddim rhy ddrwg chwaith, er nad ydw i mo'r un gora i farnu. Hi oedd yr hogan – ddynas – gynta i mi roi 'mreichia amdani, heb sôn am gysgu efo hi. Ro'n i'n gwbod cyn lleiad am hynny ag o'n i am y Sowth, ond mi ddysgodd y fenyw fach fwy i mi na 'run ditsiar ges i rioed. Mi fydda wedi bod yn rhwbath gwerth ei gofio am byth, oni bai am y losin du. Doedd o ddim yn ddu, o ran hynny, mwy nag ydi'r lleuad yn biws, ond roedd o *yn* gneud i'm llygid i sgleinio.

Fu ddim rhaid i mi dalu 'run geiniog amdano fo er bod pawb arall oedd yn galw yn y fflat yn gorfod talu'n llawn. Mi fyddwn i'n cael un dros ben hefyd. Fu ddim rhaid i mi fynd y tu draw i Ddolgella i wbod be oedd byw chwaith. Ond dydw i'n cofio dim am hynny er eu bod Nhw wedi gneud eu gora i drio f'atgoffa i. Roeddan nhw wrth eu bodda'n ca'l deud, a'u llygid nhwtha'n sgleinio, ond doeddan nhw'n gneud dim synnwyr mwy na'r boi welodd leuad borffor a chlywad afon yn canu. Cymryd arna fod yn dwp o'n i, meddan nhw. Dyna'r peth clenia ddeudon nhw, er 'mod i'n gwbod mai celwydd oedd hynny a na fedrwn i byth fod wedi meddwl am y fath betha heb sôn am eu gneud nhw.

Ond rydw i yn cofio picio adra un dwrnod a Nain yn deud fod y doctor wedi gyrru Mam i ffwrdd i sychu. 'Mi fydda'n haws iddo fo fod wedi'i hongian hi ar lein,' medda fi, a chwerthin yn fy nybla. 'W't ti'n gall, d'wad?' medda Nain. Finna'n meddwl 'mod i'n gallach nag y buas i rioed ac yn uffernol o glyfar.

Falla fod y bobol 'ma sy'n sgwennu penillion yn deud y gwir, wedi'r cwbwl. Falla fod 'na'r fath beth â lleuad biws. Welis i hi tybad? Mae 'mhen i'n brifo wrth drio cofio. Mi fedra i glywad y fenyw fach yn deud 'mod i'n haeddu'r un dros ben am fod yn hogyn mor dda i'w fam a'i nain. Mi fedra i 'ngweld fy hun yn agor fy ngheg led y pen. Ond mae 'na lwmp yn fy nghorn gwddw i a fedra i ddim llyncu. Mi wn i 'mod i isio rwbath, ond fedra i'n 'y myw feddwl be. Roedd y fenyw fach yn meddwl ei bod hi'n gwbod. Mi fuo'n ffeind iawn wrtha i. Hi oedd y ditsiar ora ges i rioed. A finna wedi anghofio'r cwbwl ddysgodd hi i mi!

Mi fydda Nain yn gwbod be ydw i isio 'tasa hi ond yn gallu fy 'nabod i. Welis i mo Mam wedyn chwaith. Falla ei bod hi wedi sychu'n grimp erbyn rŵan ac nad ydi hi angan ddim byd cryfach na dŵr. 'Taswn i'n ca'l mynd adra, fydda ddim rhaid i mi wasgu 'nannadd a 'nyrna byth eto. Mi fedra Mam a finna fynd draw i'r tŷ mawr 'na a chartio Nain odd'no efo ni, a fydda'r tri ohonon ni ddim angan neb arall. Mi fydda Nain yn siŵr o fy 'nabod i a chofio pwy ydi hi unwaith y bydda hi adra, a finna'n gwbod yn iawn be dw i isio. Fe naethon Nhw'u gora i drio 'ngha'l i i ddallt pwy a be ydw i. Ond do'n i ddim callach, a dydyn nhw ddim yn boddran efo fi bellach. Ond falla mai dim ond isio anghofio yr ydw inna, am y dyn-oedd-isio-fy-lladd-i, y ddesgil chwydu a'r cleisia, y sglein yn llygid Lleuad Lawn, ac am y fenyw fach a'r un dros ben aeth â fi ymhell y tu draw i Ddolgella.

'Tasa gen i ful bach

Pan ddaeth Helen allan o Marks doedd dim golwg o Ifor. Mae'n wir iddi fod yno am chwarter awr go dda, ond nid ei bai hi oedd hynny. Roedd hi wedi gwneud pob ymdrech i fod mor sydyn ag oedd modd, wedi mentro colli'i throed ar y grisiau symud a hepgor y deisen siocled arferol oherwydd y ciw wrth y til. Ac ar ôl hynny i gyd, dyma hi, ei thraed yn ei lladd a'i phen yn hollti, a'r un nad oedd ganddo ddim i'w wneud ond aros yn waglaw lle cawsai orchymyn i aros wedi ei gadael yn ddiymgeledd fel broc môr ar draeth. Roedd o wedi mynd yn ddi-feind iawn yn ddiweddar. Ni fu erioed y mwyaf ystyriol o ddynion, o ran hynny. Byddai ei fam, wrth gwrs, wedi anghytuno, a pha ryfedd ac yntau bob amser mor awyddus i wneud unrhyw beth a ofynnai iddo. Ni fyddai byth wedi gadael ei fam yn sefyll ar ei phen ei hun ar balmant prysur. O, na, byddai wedi prysuro i'w chyfarfod a'i freichiau'n agored yn barod i gymryd ei baich oddi arni.

A hithau'n ystyried ei cham nesaf, fe'i gwelodd yn symud tuag ati. Roedd dwy wraig yn sefyll yn ei lwybr, ar goll yn eu sgwrs. Yn hytrach na gwthio heibio iddynt, arhosodd Ifor yn ei unfan a golwg lywaeth arno.

Symudodd Helen ymlaen ychydig gamau nes ei bod wyneb yn wyneb â'r gwragedd.

'Esgusodwch fi.'

Meddyliodd am eiliad eu bod am ei hanwybyddu. Roedd yr 'esgusodwch fi' yn fwy pendant yr eildro ac yn ddigon i beri iddynt symud ychydig fodfeddi, gan ddal i siarad. Gallodd wasgu heibio iddynt a'i gwrid yn uchel.

'Mi w't ti ryw ddiamynadd iawn.'

Mor barod oedd o i weld bai arni!

Gwthiodd un o'r bagiau orlawn i'w law. Roedd fel petai'n crebachu o flaen ei llygaid o dan bwysau'r bag, ei fochau'n welw a phantiog a'i lygaid o dan gwmwl.

'Mae golwg lwydaidd iawn arnat ti,' meddai â pheth pryder yn ei llais.

'Mi dw i'n iawn. 'Di blino aros, 'na'r cwbwl.'

A sawl gwaith y bu'n rhaid iddi hi aros wrtho fo yn ystod y blynyddoedd? Aros iddo ddychwelyd ati o dŷ ei fam a'i holl ynni wedi'i ddisbyddu wedi'r oriau o dendio arni. Aros iddo ddod ato'i hun wedi marw'i fam, i gyfnewid y teimlad o golled am un o unigrwydd a'r unigrwydd am un o angen, ei angen ohoni hi.

'Dim ond chwartar awr fuas i.'

'Hannar awr,' cywirodd yntau. 'A phedwar munud, i fod yn fanwl.'

Roedd o wedi bod yn ei hamseru hi, felly, yn caniatáu ychydig o funudau iddi yma, ychydig funudau acw, heb roi eiliad i feddwl am ei thraed a'i phen dolurus. Oedd o'n meddwl, o ddifri, ei bod hi'n mwynhau'r marathon wythnosol o gwmpas Marks, y gwewyr o orfod ymladd ei ffordd heibio i ferched nad oedd neb yn gwahardd amser iddyn nhw sefyll a syllu? Mae'n debyg ei fod o'n credu ei bod hi'n treulio'i hwythnos yn ysu am y Sadwrn. Hynny ydy, os oedd o'n meddwl amdani o gwbwl.

'Mi fedrwn i neud efo panad o goffi,' meddai'n surbwch.

'Mi w't ti 'di gadal hi'n rhy hwyr.'

Nid oedd y coffi ei hun yn ei phoeni, ond byddai wedi croesawu'r cyfle i gael llithro'i thraed o'i hesgidiau a chymryd cwpwl o dabledi, gan na allai eu llyncu'n sych. Pe bai Ifor yno'n aros, lle gadawodd hi o, byddai wedi cael digon o amser i'w pharatoi ei hun ar gyfer y daith hir i'r orsaf. Ond oherwydd ei fod o – nad oedd ganddo ddim i'w wneud ond aros – wedi blino ar hyd yn oed hynny, roedd hi wedi'i gorfodi nid yn unig i ddioddef y boen ond i ychwanegu ati. Ond, o edrych yn ôl, on'd oedd o wedi'i beio hi bob tro yr âi rhywbeth o'i le? Sawl gwaith y bu iddi ymddiheuro, heb achos, i'w glywed yn dweud ei fod yn maddau iddi a hynny mewn tôn a awgrymai nad oedd i wneud y fath beth byth eto? Ni allai ei gofio yn cyfaddef bai erioed. Hyd yn oed pan wyddai i sicrwydd mai hi oedd yn iawn, byddai'n llwyddo i beri iddi ei hamau ei hun. O ddyn syml, roedd o'n ystrywgar iawn.
Dyna hi'n pwdu eto. Go brin fod yr olwg guchiog oedd arni yn gweddu i ddynes yn ei hoed hi. Roedd yr hwyliau anwadal yma yn dechrau mynd yn fwrn. Mae'n debyg fod a wnelo nhw â'r hyn a elwid yn 'newid bywyd'. Tybed a oedd hynny'n golygu newid personoliaeth yn llwyr ynteu dim ond rhyw wyrdroi dros dro? Tocyn sengl ynteu tocyn dychwel? Fe hoffai wybod yr ateb, ond i bwy y gallai ofyn y fath beth? Roedd o'n fater mor ddelicet.

Teimlai'n sicr, wrth i'r chwarter awr ymestyn fesul munud, ei bod yn loetran yn fwriadol. Gallai fod yn benstiff iawn ar adegau. Er bod yn gas ganddo aros y tu allan i Marks fel adyn ar ei ben ei hun, nid oedd erioed wedi cwyno. Hen dro gwael fyddai gwneud hynny ac yntau'n gwybod gymaint yr oedd hi'n mwynhau'r trip bach wythnosol. Ond daethai rhyw benysgafndod drosto gynnau a phenderfynodd fynd i'r drws nesaf am baned o goffi. Tra oedd yn aros am hwnnw, cafodd bwl sydyn o euogrwydd wrth feddwl mor bryderus fyddai Helen o gael fod ei le'n wag. Gadawsai'r caffi gan fwmian ei ymddiheuriad i'r weinyddes wrth fynd heibio.

Pan welsai Helen yn sefyll yno'n cuchio, bu ond y dim iddo droi ar ei sawdl a dychwelyd i'r caffi. Safai dwy wraig yn ei lwybr a bu'n oedi am sbel, gan wneud yn fawr o'r heddwch dros dro. Ond ni chawsai gyfle i fwynhau hynny, hyd yn oed. Bu'r olwg filain ar wyneb Helen, a'i thôn ymosodol, yn ddigon i orfodi'r merched i symud ac i greu embaras iddo yntau.

Pan ddaethai i'w hadnabod gyntaf, roedd hi'r un fwyna'n fyw. Byddai'r hen Job ei hun wedi diharebu at ei hamynedd. Go brin y gallai neb fod wedi goddef cythral mor stwbwrn â'i thad heb ei geryddu unwaith na chwestiynu ei syniadau rhagfarnllyd, a hynny gyda'r fath urddas. Roedd o wedi ei hedmygu'n fawr, ac wedi dychmygu peth mor braf fyddai byw efo un a allai gydymddwyn â gwendidau ac esgusodi beiau. Er mwyn gwneud yn siŵr ohoni, gofynnodd iddi ei briodi, gan bwysleisio na fyddai hynny'n bosibl tra byddai ei fam byw.

Bu ei hateb cadarnhaol, eiddgar yn sbardun iddo gredu nad oedd y fath beth mor amhosibl, wedi'r cyfan. Y noson honno, bu'n gwneud ati i ganmol amynedd a gallu Helen i ddeall a chydymdeimlo a'i fam yn gwrando, yn nodio, ac yn gwenu. Roedd ar fin crybwyll y posibilrwydd o briodas fuan pan ddywedodd hi,

'Falla fod hynny'n wir, Ifor, ond cofia mai merch 'i thad ydi hi.'

Sylweddolodd yntau mai peth cwbwl hunanol ar ei ran fyddai disgwyl i'w fam rannu ei chartref â dynes arall. Er cyn lleied oedd ganddi, trysorau oedden nhw, nid eiddo, prawf o'i dewrder a'i byw darbodus. Gwnaethai'n siŵr ei bod yn mwynhau'r cysur a haeddai am weddill ei hoes.

Ar y dechrau, er bod yr hiraeth amdani'n ei lethu ar adegau, roedd i'w gartref bopeth a ddymunai wedi diwrnod prysur y tu ôl i gownter; oriau o oddef mân gŵynion ac ildio'n wasaidd i gwsmeriaid. Yno'n unig y câi ryw fesur o heddwch. Ond yn raddol, dirywiodd yr heddwch hwnnw i fod yn ddim ond tawelwch gormesol a phenderfynodd, wedi misoedd o bwyso a mesur a nosau di-gwsg, y gallai bellach fentro dod â Helen i dŷ ei fam, heb bigiad cydwybod. Bu'n aros, yn amyneddgar, am y cyfle. Ar adegau, roedd hi'n ymddangos cyn fwyned ag arfer, ond bob hyn a hyn gallai synhwyro brath yn ei llais a thuedd i fynd yn groes iddo.

Dal i aros yr oedd o pan gafodd ei thad ei daro'n wael. Mae'n debyg mai ei dymer ddrwg, ei refru cyson yn erbyn pawb a phopeth, oedd wedi rhoi straen ar ei galon. Beth bynnag am hynny, roedd o'n fwy piwis nag erioed wedi'r pwl ac yn gwbwl ddibynnol ar Helen. Roedd bod yn bric pwdin iddo ddydd a nos wedi gadael ei ôl arni. O edrych yn ôl, mae'n siŵr mai dyna roddodd fod i'r hwyliau anwadal yma ac nad oedd a wnelo nhw ddim â 'newid bywyd'. Gallai gofio'r holl droeon y bu'n rhaid iddo'i cheryddu, yn garedig ond yn bendant; ceisio cael perswâd arni i sylweddoli pa mor afresymol oedd hi wedi bod. Ond roedd y pwdu'n rhywbeth newydd ac nid oedd ganddo'r syniad lleiaf sut i ymdopi â hynny.

Gallai ei glywed yn llusgo'i draed wrth iddo'i dilyn. Sawl gwaith oedd hi wedi dweud wrtho am eu codi? Ond doedd o ddim i weld yn malio am ddim bellach . . . dim ond yr hen dŷ 'na.

Nid oedd wedi croesi rhiniog y lle ers rhai blynyddoedd, ond cawsai Ifor ddos egar o ffliw ddechrau'r gaeaf a theimlai hithau reidrwydd i alw. Roedd y tŷ'n union fel y cofiai ef a chadair siglo ei fam yn dal yn yr un lle, y garthen wedi'i phlygu'n daclus dros y cefn a'i slipars wedi'u gosod, ystlys wrth ystlys, oddi tani.

Cofiodd fel y bu iddi feddwl pan alwodd yno, rai misoedd wedi marw'i fam, mor ddymunol y gallai'r lle fod petai rhywun yn cael gwared â'r geriach, nad oedden nhw'n ddim ond maglau llwch, a'r dodrefn tywyll, gormesol. Roedd Ifor wedi dweud, wrth iddo'i harwain i'r tŷ, fod ganddo rywbeth i'w ofyn iddi a chredai hithau'n siŵr fod yr holl aros ar ben. Tra oedd Ifor yn paratoi te, eisteddodd yng nghadair ei fam gan gyfri'r eiliadau i fydr y siglo. Ond y peth cyntaf a ddywedodd pan ddychwelodd i'r ystafell fyw – nid dweud, o ran hynny, ond gweiddi'r geiriau – oedd,

'Dw't ti ddim i ista yn fan'na.'

'Pam?' holodd hithau gan ddal i siglo.

Roedd o wedi syllu arni, ei ddau lygad bach milain yn drilio i'w meddwl cymysglyd.

'Cadair Mam ydi honna.'

Cawsai ei themtio i ddweud wrtho am stwffio'i gadair ond roedd o'n dal yn swp o alar. Nid oedd dim y gallai ei wneud ond ymddiheuro, llyfnu crychiadau'r garthen a'i hailblygu'n dyner, ofalus.

'Soniwn ni ddim am y peth eto,' meddai yntau'n

oeraidd. Ni soniodd chwaith am yr hyn yr oedd wedi bwriadu ei ofyn iddi.

Roedd hi wastad wedi casáu'r tŷ, a phan ofynnodd Ifor iddi a allai sbario amser i dynnu llwch a chwyro dipyn bu'n rhaid iddi wrthod. Er mai dyna'r tro cyntaf erioed iddi wneud hynny roedd o wedi ymddwyn yn anghynnes iawn ac wedi dweud na fyddai byth yn mynd ar ei gofyn eto. Ymhen ychydig ddyddiau, daethai â'i ddillad budron iddi i'w golchi a'r noson honno eisteddodd wrth ei bwrdd, fel arfer, yn aros am ei fwyd.

Roedd y bag fel petai'n trymhau efo bob cam a gymerai a bu'n rhaid iddo arafu. Sut yn y byd y gallai hi, oedd yn cwyno cymaint ynglŷn â chyflwr ei thraed, ddal i duthio ymlaen? Wedi iddynt gyrraedd yr orsaf byddai'n cwyno ei bod allan o wynt.

Pa hawl oedd ganddi i ddisgwyl cydymdeimlad? Ddechrau'r gaeaf, bu'n rhaid iddo adael ei wely i lanhau'r ystafell fyw am ei bod hi wedi gwrthod gwneud hynny. Roedd adegau eraill hefyd, na allai eu dwyn i gof ar y munud, pan fu hi 'run mor ddideimlad.

'Tyd 'laen,' galwodd, dros ei hysgwydd.

Roedd hi'n gwneud hyn yn fwriadol, wrth gwrs. Dyma'i ffordd o dalu'n ôl iddo am yr ychydig funudau a dreuliodd yn aros amdano.

Wrth i bob cam poenus ei chario'n nes at yr orsaf, cofiodd Helen fel y bu iddi redeg ar hyd yr un palmant flynyddoedd lawer yn ôl, yn ceisio cadw i fyny â'i thad.

Dim ond tri munud oedd ganddyn nhw i gyrraedd yr orsaf.

'Ddaliwn ni byth mo'no fo,' galwodd.

'Wrth gwrs y gnawn ni,' mynnodd yntau.

Ac fe wnaethon nhw, efo munud wrth gefn. Dyn rhyfeddol oedd ei thad. Roedd ar amryw o bobol ei ofn gan fod iddo gryfder corff a meddwl. Byddai'n dda ganddi petai hi'n debycach iddo, yn gallu gwneud penderfyniad a glynu wrtho.

Pan ofynnodd iddi – 'Pam w't ti'n dal i foddran efo'r Ifor 'na?' ei hateb hi oedd, 'Am 'y mod i wedi arfar efo fo, debyg.' Ond chwerthin wnaeth ei thad a dweud,

'Roedd dy fam yn gelciwr hefyd. Ma'n hen bryd i ti gal spring clîn go iawn.'

Ond ni allai feddwl am gael gwared ag Ifor mwy na'r hen gôt a wisgai fel ail groen.

Fel yr oedd hi'n ei gorfodi ei hun i gyflymu'i chamau, fe'i clywodd yn galw arni.

'Helen, aros amdana i.'

'Be sy?' holodd yn siarp, ei phen a'i thraed yr un mor anafus.

'Pendro.'

'Mi gei di ista lawr toc.'

'Alla i mo'i neud o, Helen.'

'Wrth gwrs y gelli di. Yli, gafal yn 'y mraich i. Mi fyddi di'n olreit.'

Llusgodd ymlaen gan roi ei holl bwysau arni. Sut y gallai ymostwng i gael ei dywys fel hyn, ildio'i hunan-barch a'i urddas?

Gallai deimlo'i dicter. O, ia, merch ei thad oedd hi, heb unrhyw amheuaeth. Doedd ryfedd ei bod wedi gallu ei oddef efo'r fath ddycnwch. Mae'n siŵr ei bod hi, hyd yn oed bryd hynny, wedi cytuno â'i syniadau rhagfarnllyd. Nid goddefgarwch oedd yn ei chynnal, wedi'r cwbwl, ond edmygedd. Roedd y penderfyniad i aros wedi bod yn un doeth. Ni allai hi byth fod wedi cymryd lle'i fam.

Daethai'n ymwybodol o hynny pan welodd hi'n eistedd yn y gadair siglo. Roedd o wedi bwriadu gofyn iddi ei briodi y diwrnod hwnnw. Ond roedd ei hymateb hi mor herfeiddiol a'r 'Pam?' mor haerllug. Fe wyddai hi'n iawn pam. Mae'n siŵr ei bod wedi eistedd yno o fwriad gan gredu ei bod yn hen bryd iddi hi gymryd trosodd.

Y cam nesaf fyddai cael gwared â dodrefn ei fam a'r trysorau bach oedd yn golygu cymaint iddi. Gallai ei chofio'n gofyn iddo un diwrnod pan oedd wrthi'n eu glanhau fesul un – gwaith a allai gymryd oriau – 'Pam w't ti'n trafferthu, d'wad?' 'Trafferthu', ia, dyna'r gair ddefnyddiodd hi. Ceisiodd ei berswadio ei hun ar y pryd nad oedd hynny'n ddim ond llithriad bach anffodus, ond roedd yn argyhoeddedig erbyn hyn mai'r elfen o greulonder yn ei natur a barodd iddi fod eisiau ei frifo. Rhan o'i hetifeddiaeth oedd y creulonder hwnnw ac oni bai am rybudd ei fam a'i bwyll yntau byddai'n rhan o'i gwaddol hefyd.

A hwythau'n eistedd yn y trên ar y ffordd adref cododd arogl i ffroenau Ifor oedd yn ddigon i godi cyfog arno. Pan geisiodd ei ddilyn i'w darddiad, gwelodd bâr o esgidiau gweigion ar lawr.

'Fydda ots gen ti roi dy sgidia'n ôl am dy draed?' sibrydodd.

'Bydda,' ac ymestyn ei bodiau, gan danlinellu'r her yn ei llais.

'Ma'r ogla'n troi arna i.'

'Mi fydda'n well i ti symud, felly.'

Roedd o'n beth mor rhesymol i'w ofyn, ond roedd hi'n benderfynol o wneud iddo ddioddef. Fe wyddai'n iawn na allai fentro symud. A pham y dylai? Roedd ganddo gymaint o hawl yma ag oedd ganddi hi. Estynnodd hances o'i boced a'i dal wrth ei drwyn.

'Paid â bod mor blentynnaidd,' heb wneud unrhyw ymdrech i ostwng ei llais.

Roedd hi'n un dda i siarad. Beth am ei natur bwdlyd hi, ei hysbryd dialgar a'i hystyfnigrwydd?

'Mi w't ti'n swnio'n union fel dy dad,' mwmiodd.

Meddyliodd am funud ei bod yn pwdu eto. Ond pan fentrodd edrych arni, gwelodd ei bod yn gwenu rhyw hen wên hunanfoddhaus nad oedd yn hidio amdani o gwbwl.

'Pam w't ti'n gwenu fel'na?' holodd, yn gwynfanllyd.

Ni allai gofio pryd bu iddo ofyn pam yr oedd hi'n gwenu neu'n crio, yn blês neu'n benisel, ddiwetha. Roedd o fel petai bob amser yn edrych heibio iddi, ei lygaid wedi eu hoelio ar wrthrych pell. Byddai'n meddwl yn aml mai gweld ei fam yr oedd o, yn cael ei thywys drwy ardd paradwys gan angel, yr un ffunud ag ef ei hun.

Doedd hi ddim yn bwriadu dweud wrtho. Roedd hi ar fai mawr yn ei anwybyddu fel hyn ac yntau wedi bod yn aros amdani y tu allan i Marks bob Sadwrn, ym mhob tywydd. Teimlai'n sicr mai canlyniad hynny oedd y ffliw a gawsai ddechrau'r gaeaf.

'Dydw i ddim yn credu y do' i'r Sadwrn nesa,' meddai.

'Plesia dy hun.'

Bu ond y dim iddo ag aros adref sawl Sadwrn, ond nid oedd am ei siomi. Y trip i'r dref oedd penllanw'i hwythnos. Ni allai adael iddi ymdopi â'r bagiau trymion ar ei phen ei hun. Ac nid oedd ganddi unrhyw syniad o amser. Byddai'n siŵr o golli'r trên a chreu helynt i bawb.

Iawn, fe gâi ei blesio'i hun. Nid oedd erioed wedi ei orfodi i ddod efo hi. Byddai'n braf cael symud wrth ei phwysau, cael sefyll a syllu gan wybod ei fod o'n ddiogel a chlyd yn nhŷ ei fam.

Pan welodd Ifor yn baglu dros y stepan wrth ddod allan o'r trên, roedd hi'n fwy argyhoeddig fyth mai aros adref fyddai'r peth doethaf iddo. Roedd ei hamser hi yn y dref yn ddigon byr ar y gorau. Byddai gorfod ei ddandwn, ei lusgo ymlaen fel y gwnaethai heddiw, yn ei gwtogi fwy fyth, heb sôn am ddwyn yr ychydig fwyniant oedd yn weddill oddi arni. Byddai'n rhaid iddi fod yn gadarn, ei berswadio ei bod hi'n ddigon abal i ymdopi ar ei phen ei hun.

Daethai pwl arall o benysgafnder drosto pan gamodd allan o'r trên. Wrth iddo geisio ei sadio ei hun, fe'i gwelodd yn rhythu arno, yr olwg ar ei hwyneb yn adlewyrchiad o un ei thad ac yn gyrru ias oer i lawr asgwrn ei gefn.

'Mi gwela i di heno, fel arfar,' meddai, wrth iddynt wahanu. Cymerodd y bag oddi arno, a nodio.

Meddyliodd Ifor am yr heddwch a fyddai'n eiddo iddo yn ystod yr oriau nesaf. Ciliodd y pendro a daeth ei gamau'n rhwyddach. Wrth iddo'i ollwng ei hun i'r tŷ a chau'r drws ar ei ôl, teimlai'n llawn diolchgarwch. Eisteddodd gyferbyn â chadair ei fam gan flasu'r tawelwch a'r sicrwydd o wybod ei fod wedi dod adref.

Er gwaetha'r bagiau trymion a'r traed dolurus, rhyddhad o'r mwyaf i Helen oedd cael cerdded ar ei phen ei hun. Yr eiliad y cyrhaeddodd ei thŷ, ciciodd ei hesgidiau i ffwrdd a gorffwys ei gwadnau ar lawr oer y gegin. Y Sadwrn nesaf, câi eistedd lle y mynnai, am gyhyd ag y mynnai. Roedd hi wedi dili-dalio, dro ar ôl tro, ond ni fyddai rhagor o betruso. Cofiodd mor gyndyn roedd hi o gael gwared â'r hen gôt croen bol. Ond fe lwyddodd, ac fe wnâi eto. Wedi'r cyfan, roedd hi'n ferch ei thad. Doedd Ifor fawr feddwl beth achosodd y wên honno. Ni châi byth wybod ei fod, yn anfwriadol hollol, wedi talu'r clod mwyaf a allai iddi.

Penderfynodd ei bod yn haeddu paned a darn o deisen siocled. Ond cofiodd yn sydyn, wrth iddi chwilio drwy'r bagiau, am y ciw yn Marks a'i phryder o gadw Ifor i aros. Ta waeth, byddai'n ôl yno'r Sadwrn nesaf. Roedd hwnnw'n mynd i fod yn ddiwrnod cwbwl wahanol, yn ddechrau newydd.

Aeth â'i phaned drwodd i'r ystafell fyw. Wedi iddi gynnau'r tân, eisteddodd yn ôl yn ei chadair ei hun i flasu posibiliadau'r Sadwrn cwbwl wahanol, wrth iddi aros am Ifor.

Moelwyn ŵy melyn

Mae'n gas gen i hen bobol. Does gen i fawr i'w ddeud wrth blant na phobol ifanc chwaith, nac isio dim i neud efo nhw mwy nag efo'r petha canol oed nad ydyn nhw'n siŵr i bwy nag i ble maen nhw'n perthyn. A deud y gwir, dydw i ddim yn rhy hoff o neb ond Stan, a hynny ddim ond ar adega.

Fydda 'na ddim collad ar ei ôl o na finna. Ond mae hynny'n wir am y rhan fwya o bobol, o ran hynny. Mi dw i'n fwy o werth i Stan nag ydi o i mi gan mai'r pres yr ydw i wedi'i gelcio sy'n talu am do uwch ein penna a bwyd yn ein bolia ni. Ro'n i'n arfar meddwl y bydda'n haws i mi neud hebddo fo na fo hebdda i, ond dydw i ddim mor siŵr erbyn rŵan. Pan ddeudis i wrtho fo mai mynd efo'n gilydd fydda ora i ni, dyna fo'n gofyn,

'Mynd i lle d'wad? Mi dw i'n iawn lle'r ydw i.'

Mi oedd hi'n o chwith iddyn nhw hebdda i ym Mryn Melyn, reit siŵr. Pwy arall fydda'n barod i slafio yn y gegin 'na yn paratoi bwyd babis i hen bobol? A neb ddim mymryn mwy diolchgar. O leia, do'n i ddim yn gorfod mynd yn rhy agos atyn nhw. Gorfod i mi lusgo un ohonyn nhw i'r lle chwech un dwrnod pan nad oedd 'na neb arall ar gael. Wedi iddi orffan gneud ei busnas, dyna hi'n troi'i thin ata i.

'Mi dach chi fod i'n sychu i,' medda hi.

'Sychwch 'ych hun, o gwilydd,' meddwn inna, a'i

gadal hi yno. Mi ges i dafod iawn gan Metron ond cau ei cheg wnaeth hi pan ddeudis i fod gorfod gofalu am un pen iddyn nhw'n ddigon.

A' i byth yn agos i'r un Bryn Melyn. Mi wnes i ofyn i Stan addo rhoi diwadd arna i unwaith y bydda i'n rhy hurt i allu edrych ar f'ôl fy hun.

'Dw't ti ddim isio 'ngweld i'n gorffan f'oes yn y clinc, w't ti?' medda fo.

Pan ddeudis i na fyddwn i'm mymryn callach lle bydda fo mi wylltiodd yn gacwn a 'ngalw i'n hen gnawas hunanol.

Does ganddo fo a finna neb ond ein gilydd. Mi fuo gen i ryw fath o deulu unwaith, ac roedd gan Stan fam a thad wrth gwrs, fel pawb arall, neu fydda fo ddim yma. Ond welodd o rioed 'run ohonyn nhw. Mi fyddwn inna wedi bod yn well allan heb y rhai oedd gen i. Hogan fach blaen o'n i, un ddigon hyll a deud y gwir. Mi fydda 'Nhad yn deud fod Mam wedi dŵad â babi rhywun arall adra o'r ysbyty mewn camgymeriad. Mi faswn i'n licio gallu credu hynny. Ond rydw i wedi gwella ryw gymaint wrth heneiddio, yn wahanol i Stan. Pan ddois i o hyd i'r llun o griw o blant yn sefyll ar y stepia y tu allan i'r Cartra, mi fu'n rhaid i mi ofyn i Stan pa un oedd o. Fo oedd y dela yno, un y bydda unrhyw fam gwerth ei halan yn gwirioni arno fo.

'A pwy ydi hwn?' medda fi, a phwyntio at y dyn oedd yn sefyll ar y stepan ucha a golwg 'welwch chi fi' arno fo fel 'tasa fo pia bawb a phob dim.

Atebodd Stan mohona i, dim ond cipio'r llun oddi arna i. Meddwl o'n i ei fod o wedi digio am i mi fethu'i 'nabod. Ond mi wn i'n wahanol rŵan.

Pan oedd o mewn hwylia, mi fydda'n dŵad i 'nghyfarfod i at Bryn Melyn. Fentrodd o ddim pellach na'r giât, ond mi fydda'n codi'i law ar Miss Williams fach, oedd yn ista gyferbyn â'r ffenast. Teimlo'n ddigon saff i allu gneud hynny, debyg, gan fod digon o belltar rhyngddyn nhw. Mi fyddwn i'n arfar galw i ddeud ta ta wrthi amball bnawn. Biti drosti oedd gen i, am wn i. Dim ond dros dro oedd hi yno, medda hi, nes y bydda hi wedi gwella ar ôl y godwm. Roedd ganddi gymaint o obaith dengyd ag sydd gen bry bach o ddŵad yn rhydd o we pry copyn. Welis i rioed neb yn gadal y lle 'na ar ei draed.

'Dyn clên ydi o 'te,' medda hi.

'Pwy 'lly?'

'Yr un sy'n dŵad i alw amdanoch chi.'

Mi fedrwn i feddwl am lawar o eiria i ddisgrifio Stan, ond doedd clên ddim yn ohonyn nhw.

'Fo ydi'ch cariad chi, ia?'

Sut medra rhywun nad oes ganddi hi syniad be ydi cariad atab cwestiwn fel'na?

'Mi fuo gen inna gariad unwaith.'

'Mae 'na ryw ogla da iawn arnoch chi,' medda fi, er mwyn troi'r stori.

'Dŵr lafant . . . lavender. Fydda i byth hebddo fo.'

Pan oeddan ni ar ein ffordd adra un pnawn dyna Stan yn gofyn,

'Pwy ydi'r ddynas 'na sy'n gwenu arna i drwy'r ffenast?'

'Miss Williams fach.'

'Mi dw i'n siŵr y dylwn i 'i nabod hi 'sti.'

Dydi Stan yn nabod neb ac anamal y bydd o'n sylwi ar ddim. Sut medar o ac ynta'n rhygnu cerddad efo'r cloddia a'i ben i lawr? Felly byddwn inna ers talwm. Ddim isio gweld neb nac am iddyn nhwtha 'ngweld i. Mi dw i wedi gorfod dysgu dygymod, ond mae hi'n rhy hwyr i Stan allu gneud hynny.

Anghofia i byth mo'r dwrnod y gwelson ni'r dyn oedd yn y llun. Mi wnes inna ei 'nabod o'n syth bìn, er mai dim ond cip o'n i wedi'i gael arno fo. Mwy o fol a lot llai o wallt, ond yr un olwg 'welwch chi fi', fel 'tasa fo'n disgwyl i bawb gamu o'i ffordd o. Cythru am fy mraich i wnaeth Stan, a 'nhynnu i ddrws siop. Roedd o'n crynu fel deilan a chwys yn diferu ohono fo. A'r noson honno fe gafodd o'r hunlla mwya uffernol. Dydw i ddim yn dychryn yn hawdd, ond mi ges i lond twll o ofn.

Roedd o allan, drwy drugaradd, pan alwodd un o'r hogia oedd yn y Cartra yr un pryd â fo. Gen hwnnw y ces i'r hanas. Mi wn i be ydi bod yn gleisia drosta ond ches i rioed fy hambygio fel gafodd Stan ac ynta. Pan ofynnis i pam na fyddan nhw wedi cwyno, dyna fo'n gofyn,

'Cwyno wrth bwy, mewn difri?'

'Bòs y cartra 'te.'

'Roedd o'n un ohonyn nhw, doedd,' medda fo, a dagra mawr yn powlio lawr ei focha.

Fedrwn i ddim diodda hynny a mi ddeudis i wrtho fo am ei heglu hi odd'ma a gadal llonydd i Stan a finna.

Fe welodd Miss Williams fach fi'n mynd heibio i'r stafall un pnawn a galw arna i.

'Mi dach chi wedi bod yn ddiarth iawn, 'mach i,' medda hi, fel 'tasan ni'n hen ffrindia.

Pa hawl oedd ganddi i feddwl fod gen i amsar i'w dandwn hi?

'Yma i weithio rydw i.'

'Rydan ni'n lwcus iawn ohonach chi.'

Dyna'r tro cynta rioed i rywun gyfadda hynny, er ei fod o ddigon gwir.

'I chi mae hon, i ddiolch am edrych ar f'ôl i.'

A dyna hi'n estyn potal o'r dŵr o'i bag. Wyddwn i ddim be i ddeud. Dydw i rioed wedi cael diolch, heb sôn am bresant.

'Chi ddeudodd 'ych bod chi'n licio'r ogla 'te. Hwn oedd ffefryn Henry hefyd.'

Do'n i ddim isio gwbod, ond roedd hi'n benderfynol o gael deud. A fedrwn i ddim codi a gadal yn hawdd, a hitha newydd roi presant i mi. Roedd yr Henry 'ma wedi gofyn iddi ei briodi o, ond gwrthod ddaru hi, medda hi. Teimlo nad oedd hi'n ddigon da a ddim isio sefyll yn ei ffordd o ac ynta mewn swydd mor bwysig.

'A sut mae'ch cariad chi?' medda hi. 'Dydw i ddim wedi'i weld o ers sbel.'

Wnes i mo'i hatab hi. Pam dylwn i? Doedd nelo hi ddim byd â Stan a fi. Roedd o wedi bod yn moedro 'mlaen am Miss Williams fach ers dyddia, dal i ddeud y dyla fo'i 'nabod hi. Anamal iawn y bydd Stan yn meddwl ac roedd y straen yn dechra deud arno fo. Roedd o am i mi ei holi hi, un o ble oedd hi a rhyw gybôl felly. Do'n i ddim yn bwriadu gneud ffasiwn beth. A rhag ofn iddo fo gael ei demtio i ofyn, er na fedrwn i mo'i ddychmygu o'n gneud hynny, mi ddeudis 'mod i'n ddigon ffit i ffeindio fy ffordd adra ac nad oedd angan iddo ddod i 'nghyfarfod i.

Sonias i 'run gair am y botal. Ond wrth i mi dynnu 'nillad y noson honno mi fedrwn i ogleuo drewdod Bryn Melyn arnyn nhw. Er i mi eu taflu nhw i gornal bella'r stafall, ro'n i'n dal i allu ei ogleuo fo ar fy nghroen, yn fy ngwallt, o dan fy ngwinadd. Doedd gen i ddim amynadd aros i'r tanc lenwi er mwyn cael bath a mi rois i blorod mawr o'r dŵr-ogla-da y tu ôl i 'nghlustia, rhwng fy mronna ac ar y gobennydd. Roedd Stan i lawr grisia yn syllu ar y teli fel bydd o, heb fod ddim callach be sy'n digwydd. Y peth ola rydw i'n ei gofio cyn syrthio i gysgu ydi clywad Miss Williams fach yn deud, 'Hwn oedd ffefryn Henry.'

Y sgrechian ddaru 'neffro i. Roedd Stan yn pwnio'r gobennydd fel 'tasa fo wedi colli arno'i hun ac yn gweiddi ei fod o'n cofio, drosodd a throsodd. Ches i ddim mymryn o synnwyr pan ofynnis i, 'Cofio be?' Os nad ydi rhywun yn deud, does 'na ddim byd fedar rhywun ei neud ac ro'n i'n falch o'i weld o'n gadal am y llofft sbâr fel 'mod i'n gallu diffodd y gola. Mae Stan yn mynnu ei adal o 'mlaen drwy'r nos, ond fi sy'n gorfod talu'r bil lectric.

Pan gyrhaeddis i adra drannoeth doedd 'na 'run cerpyn ar fy ngwely i. Roedd Stan wedi llosgi'r cwbwl. Doedd 'na ddim golwg o'r botal chwaith. Mi gymris i fath, mor boeth ag y medrwn i ei ddiodda, a sgrwbio pob ogla oddi arna i. Er nad o'n i'n dallt pam ar y pryd, mi wyddwn mai dyna oedd raid i mi ei neud.

Mi gadwis i 'mhelltar oddi wrth Miss Williams fach ar ôl hynny. Ond dyna lle'r oedd hi un bora, yn y gegin yn aros amdana i. Wn i ddim sut medrodd hi gyrradd yno.

'Mae Henry yma, Janet,' medda hi.

Roedd 'na olwg wirion arni, fel 'tasa hi wedi dechra hurtio. Dyna sy'n digwydd hyd yn oed i'r calla ohonyn nhw unwaith maen nhw'n gadal y byd y tu allan. Y cwbwl ro'n i isio oedd ei chael hi o'r gegin ac o 'ngolwg i.

'Mae o yma,' medda hi wedyn. 'Dowch.'

Ond roedd yr ymdrach i gyrradd wedi bod yn ormod iddi a prin medra hi roi un troed o flaen y llall. Doedd gen i ddim dewis ond gadal iddi roi ei phwysa arna i. Fel roeddan ni'n llusgo dow-dow ar hyd y coridor, fe ddaeth un o'r merchad heibio ac mi ofynnis iddi fynd â Miss Williams yn ôl i'w stafall.

'Ddim rŵan, Janet,' medda hi. 'A well i chi frysio os ydan ni am ga'l cinio heddiw.'

Do'n i ddim am fynd gam ymhellach na'r drws. Rhyngddi hi a'i phetha wedyn. Doedd gen i ddim tamad o ddiddordab yn yr Henry 'ma. Os oedd 'na'r fath un yn bod. Gweld petha nad ydyn nhw'n bod y bydd hen bobol, heb allu gweld be sy dan eu trwyna nhw. Ond roedd y drws yn llydan agorad, ac mi welis inna fo. Roedd o'n ista ar y gadar uchal a'i gefn at y ffenast, ei goesa'n hongian drosodd a'i draed heb gyffwrdd y llawr. Dipyn mwy o fol a 'run blewyn o wallt. Hen gariad Miss Williams fach. Y dyn yn y llun.

'Ma'n rhaid i mi fynd,' medda fi, a'i g'leuo hi odd'no. Mi fuo ond y dim i mi gerddad allan, heb ddeud gair wrth neb. Sut medrwn i fod yn gyfrifol am gadw dyn oedd wedi andwyo Stan yn fyw drwy'i fwydo fo, ddwrnod ar ôl dwrnod? Sut medrwn i gymryd arna fod pob dim 'run fath ag arfar, gneud yn siŵr nad oedd Stan yn ama dim? Am fod yn rhaid i mi, er fy mwyn fy hun, ac er mwyn trio dal gafal ar y 'chydig sydd ganddon ni. Ac aros yno yn fy nghegin wnes i, yn tendio arno fo o belltar, ac o 'ngho efo fi fy hun. Mi glywis i'r merchad yn prepian ei fod o'n taflu'i bwysa o gwmpas, fel 'tasa fo pia pawb a phob dim. Mi fedrwn fod wedi deud wrthyn nhw mai un felly roedd o wedi bod rioed, ond wnes i ddim.

Metron ddaeth i ddeud wrtha i fod Miss Williams fach isio 'ngweld i.

'Mi dw i'n brysur,' medda fi.

Anwybyddu hynny ddaru hi. Hi fydda 'di cwyno fwya 'tasa'r cinio'n hwyr. Ond doedd hi ddim isio sathru traed yr hen bobol a nhwtha'n talu'n dda am eu lle.

'Does gen i ddim byd yn erbyn i chi a Miss Williams fod yn ffrindia,' medda hi. 'Ond mae'n bwysig fod pawb yn cael yr un sylw, dydi?'

'Mi a' i ar ôl gorffan plicio'r tatws 'ma.'

'Na, ewch rŵan, Janet. A gofalwch nad ydi hyn ddim yn digwydd rhy amal.'

Roedd Miss Williams yn ista yn yr un gadar ag arfar, yn wynebu'r ffenast a'r gadar uchal, ond doedd o ddim yno, drwy drugaradd.

'Wel, be oeddach chi'n 'i feddwl o Henry?' medda hi.

Do'n i ddim mewn hwyl i ddal pen rheswm efo neb a fedra hi ddim fod wedi gofyn 'run cwestiwn gwaeth.

'Dim,' medda fi. 'Fo oedd yn edrych ar ôl y cartra plant 'te.'

'Ac yn meddwl y byd ohonyn nhw.'

'Mwy nag ohonoch chi. Ond 'na fo, roedd yn well ganddo fo hogia bach, doedd?'

Chymrodd hi ddim sylw o hynny, dim ond deud fel roedd hi wedi sylwi pan fydda'n galw yn y Cartra mor ffeind oedd Henry wrth yr hogia a pha mor ofalus oedd o ohonyn nhw, ac wedi sylweddoli na fydda hi'n ddim ond rhwystr iddo fo efo'i waith.

'Dydi o ddim wedi madda i mi am hynny,' medda hi. 'Mae o'n cymryd arno nad ydi o'n fy nghofio i. Ond mi ddaw ato'i hun.'

'Roeddach chi'n well allan hebddo fo,' meddwn inna.

Ro'n i'n teimlo fel 'taswn i ar fygu a'r ogla dŵr 'na'n llenwi fy ffroena i. Dyna fi'n croesi at y ffenast ac yn ei hagor hi ryw fymryn, digon i adal chwa o awyr iach i mewn ac i f'atgoffa i fod 'na fyd y tu allan.

'Mi oedd Metron o'i cho efo chi am alw amdana i,' medda fi.

'Tewch â deud. Wna i ddim eto.'

Dim ond unwaith y gwelis hi wedyn, yn y gwasanaeth gafodd ei gynnal ym Mryn Melyn i gofio Henry Davies. Doedd o wedi bod yno fawr, ond mae pobol bwysig fel fo'n gadal mwy na chadar wag ar eu hola. Roedd y dyn colar gron yn ei ganmol o i'r cymyla am roi oes o wasanaeth i ofalu am blant amddifad a'u helpu nhw i wynebu bywyd. A Miss Williams fach yn nodio ac yn gwenu. Ond doedd hi ddim yn gwenu pan afaelodd hi'n fy mraich i wrth i mi basio.

'Ddylach chi ddim fod wedi gneud hynna, Janet,' medda hi.

'Gneud be 'dwch?'

'Agor y ffenast. Dyna sut gafodd Henry'r annwyd 'na, a hwnnw'n troi'n niwmonia a'i ladd o.'

'Pam na fasach chi wedi'i chau hi 'ta?'

'Mi wnes i drio, ond doedd gen i mo'r nerth.'

'Ydach chi'n siŵr eich bod chi wedi trio ddigon calad?'

'Mae ganddoch chi hen dafod brwnt, Janet,' medda hi.

''Di ca'l 'i hogi'n dda mae o.'

Roedd hi wrthi'n estyn y botal o'i bag pan gerddis i allan. Allan o'r stafall, ac allan o Fryn Melyn, am byth.

Mae'n hi'n dal yno, mae'n siŵr. Ro'n i'n teimlo ddigon annifyr am sbel wedi i mi adal, ofn y bydda hi wedi achwyn amdana i wrth Metron. Ond mi fydda'n rhaid i honno gyfadda wedyn na sylwodd neb fod y ffenast yn gorad. Falla mai fi agorodd hi, ond mi fedra unrhyw un ohonyn nhw fod wedi'i chau. Mi dw i'n falch 'mod i wedi gneud, ac na wnaethon nhw ddim. Ac os oedd o'n gallu teimlo'r drafft, doedd 'na ddim byd i'w rwystro rhag cwyno, yn wahanol i'r hogia.

Dydi Stan yn gwbod dim am y sglyfath dyn gafodd le dros dro ym Mryn Melyn na fel y ces i 'nhemtio fwy nag unwaith i roi gwenwyn yn ei fwyd o. Ond roedd 'na un peth oedd yn rhaid i mi ei neud.

'Tyd â'r llun o'r Cartra i mi,' medda fi.

Gwrthod wnaeth o i ddechra a deud na fedra fo ddim diodda edrych arno fo.

'Wn i,' medda finna. 'A fydd dim rhaid i ti byth eto. Weli di byth mo'r dyn 'na chwaith. Mae o'n llwch erbyn rŵan.'

Ofynnodd o ddim sut o'n i'n gwbod. Dim ond derbyn, ac estyn y llun. Mi rwygis inna fo ar draws ac ar hyd, mor fân fel na fedra neb ei roi o at ei gilydd wedyn.

Drannoeth, fe ddaeth â llond dwrn o friallu i mi. Wedi'u gweld nhw'n tyfu wrth fôn y clawdd, medda fo. Maen nhw wedi bod yno bob gwanwyn ers pan ydw i'n cofio. Mi ddylwn fod yn falch ei fod o wedi dechra sylwi, ond dydw i ddim.

Dafad gorniog

Y gwallt welodd o gyntaf, yn cawodi dros ei hysgwyddau wrth iddi blygu yn ei chwman uwchben pentwr o ddail ar y palmant.

'Ydach chi wedi colli rwbath?' holodd.

'Naddo. Eu hel nhw dw i.'

'Hel dail?'

'Ia. Mae gen i hawl, does? Phia neb mo'nyn nhw.'

Cododd ei phen a syllu'n herfeiddiol arno. Roedd ganddi ddwy gyrlen fach felen o boptu'i thalcen.

'Mi cewch chi nhw i gyd o'm rhan i.'

'Mi dw i wedi ca'l be o'n i isio, am rŵan.'

'Iawn 'lly.'

Dim ond hanner awr oedd ganddo, i gerdded i'r Queens, llyncu hanner peint o lager a brechdan, a bod yn ôl wrth ei ddesg. Ond ni allai dynnu ei lygaid oddi ar y ddwy gyrlen.

'Oes gen i faw ar fy wynab?'

'Nagoes.'

'Pam w't ti'n edrych arna i fel'na 'ta?'

'Mae gen inna hawl gneud hynny hefyd, siawns.'

'Ond dim ond edrych.'

'Ar fy ffordd i'r Queens yr ydw i.'

'A mi fasat ti'n licio i mi ddŵad efo chdi?'

'Dim ond hannar awr sydd gen i.'

'Mae'n bosib gneud llawar iawn mewn hannar awr.'

Ni fu John Maes Gwyn erioed yn hwyr i un dim. Byddai wrth ddrws yr ysgol cyn i'r gloch ganu, wrth ei ddesg cyn i'r lleill dynnu'u cotiau. Ond roedd hi'n ugain munud wedi dau arno'n cyrraedd y swyddfa'r diwrnod hwnnw. Rhythodd pawb ar ei gilydd. Craffodd y pennaeth ar y cloc, yna ar ei oriawr, yn rhy syfrdan i allu gwneud dim ond rhoi pesychiad bach awgrymog. Ni chlywodd John mohono. Ni welodd mo'r wynebau syn chwaith. Roedd o'n dal i eistedd ar stôl yn y Queens, lle nad oedd amser yn bod, yn dotio at y ddwy gyrlen.

'Ffansïo rhein w't ti, ia?' meddai hi, gan droelli un ohonynt rhwng ei bys a'i bawd. 'Be fyddi di'n 'i neud drwy'r dydd, fel arfar?'

'Gweithio . . . yn Swyddfa'r Cyngor.'

'Diflas, ydi?'

'Dydw i rioed 'di meddwl am y peth.'

'Ers faint w't ti yno?'

'Pedair blynadd. Be dach chi'n 'i neud?'

'Hel petha.'

'Pa fath o betha?'

'Dail, cerrig, cregyn lan môr, darna o goed. Fyddi di'n hel rwbath?'

'Fel be?'

'Cwpons odd'ar bacedi crisps, labeli poteli Coca Cola?'

'Na fydda.'

'Cwrw? Merchad?'

'Weithia. Un cymedrol iawn ydw i. '

'Be mae hynny'n 'i feddwl?'

''Mod i'n gwbod pryd i stopio.'

'Ond dw't ti ddim isio gneud hynny rŵan, yn nag wyt.'

Roedd o'n gyndyn o fynd â hi adra. Eisiau ei chadw hi i gyd iddo'i hun, bob tamad ohoni. Ond nid bob tamad chwaith. Yr unig beth na chafodd o mo'i wneud, yr hyn roedd o eisiau'i wneud yn fwy na dim, oedd gafael yn y ddwy gyrlen fach a'u mwytho rhwng ei fysedd. Pan estynnai ei fys i'w cyffwrdd, byddai'n taflu ei phen yn ôl ac yn dweud,

'Fi pia rhein, dallta. Dim ond edrych.'

Cytunai pawb nad oedd John Maes Gwyn yn un i ddibynnu arno bellach. Fo oedd yr un olaf i gyrraedd y swyddfa a'r cyntaf i adael. Byddai tin ei gar yn diflannu rownd y gornel cyn iddynt wisgo'u cotiau. 'Prynu'r car 'na er mwyn i ti allu cyrradd dy waith a dŵad adra ar amsar call naethon ni,' edliwiodd ei dad. 'Nid i galifantio does neb ŵyr i ble.'

Sibrydai merched y swyddfa ymysg ei gilydd, 'Pwy ydi hi, tybad?'

Bu un ohonynt, oedd wedi bod â'i llygad arno ers misoedd, yn ddigon lwcus i daro ar ei gar pan oedd hi'n gwerthu ticedi raffl o ddrws i ddrws, a manteisiodd ar y cyfle i holi'r cymdogion.

'Wel, be gest ti wbod?' holodd y lleill yn eiddgar.

'Un ddiarth ydi hi, meddan nhw. Blondan.'

'Potal?'

'Siŵr o fod. Byw ar giro.'

'Welist ti hi?'

'Naddo, na dim arall. Does 'na'm posib gweld drwy'r ffenast.'

'Budur, ia?'

'Na, 'i llond hi o geriach . . . darna o goed a lympia o gerrig.'

Ond nid geriach oedden nhw iddi hi. Nac iddo yntau chwaith erbyn hynny. Bu'n tuthio ar ei hôl drwy ddrain a chorsydd ar benwythnosau, ei ddwylo'n sgriffiadau i gyd a'r gwlybaniaeth yn socian drwy'i ddillad. 'Draenog bach, yli,' meddai hi. 'Del iawn,' meddai yntau, heb allu gweld dim ond carreg yn gen drosti. Yna, un diwrnod, fe'i gwelodd . . . draenog bach perffaith yn sbecian arno oddi ar y silff. Roedden nhw i gyd yno, yn y coed a'r cerrig, iâr fach yr haf a'i hadenydd ar led, hen wraig gam, cath â'i chynffon yn cyrlio amdani.

Roedd o'n daer am ei phriodi, ond gwrthod wnaeth hi.

'I be?' meddai hi. 'Mi dan ni'n iawn fel rydan ni. Ond mi gei di ddŵad i fyw efo fi os lici di.'

Ac yntau'n gwybod ei fod am ei chael iddo'i hun, mentrodd fynd â hi adra i'w dangos.

'Roi di byth garchar ar hon,' meddai ei dad, wrth ei gwylio'n gwibio yma ac acw ar draws y cae.

Wrth ei waith yn y swyddfa, byddai'n dyheu am gael bod efo hi yn y tŷ oedd yn arogli o awyr iach a mwsog a phridd. Un prynhawn mwy diflas nag arfer, diffoddodd y cyfrifiadur a cherdded allan. Neidiodd i'r car a gyrru fel cath i gythral i lawr y ffordd gan anwybyddu'r golau coch am y tro cyntaf erioed.

Wrthi'n cloi'r car yr oedd o, yn fodiau i gyd, pan welodd ddyn yn sleifio allan o'r tŷ, fel ci lladd defaid.

'Pwy oedd hwnna?' holodd.

'Ffrind. Pam w't ti'n ôl mor gynnar?'

'Methu diodda rhagor. Mae gen i flys rhoi'r gora iddi.'

'A gneud be?'

'Bod yma efo chdi.'

'Drwy'r dydd, bob dydd? Ro'n i'n meddwl i ti ddeud

dy fod ti'n un . . . be oedd y gair? . . . cymedrol. Gwbod pryd i stopio.'

Dychwelodd i'r swyddfa ac ymddiheuro i'r pennaeth. 'Wnaiff hynna ddim digwydd eto,' addawodd. 'Gobeithio ddim,' meddai yntau. 'Rydach chi wedi fy siomi i, John.' Roedd hynny'n gwneud synnwyr, ond ni allai ddeall pam yr oedd hi wedi'i siomi ynddo.

'Dim ond isio i ni'n dau ga'l bod efo'n gilydd o'n i,' eglurodd.

'Ti w't ti a fi ydw i.'

'Os w't ti'n deud,' heb fod ddim callach wedyn chwaith.

Yr arogl dynnodd ei sylw gyntaf, hen arogl sur oedd fel petai'n glynu wrth bopeth. Roedd y gwpan o garreg a'r pant yn ei chanol, y daethon nhw o hyd iddi ar lan yr afon, yn orlawn o stympiau sigaréts, a chaniau wedi'u gollwng ar lawr fel caglau defaid. Aeth ati i wagio a chodi.

'Gad o,' meddai hi. 'Dydi o'n poeni dim arnon ni.'

'Pa "ni"?'

'Fy ffrind a finna 'te. Ac os ydi o'n dy boeni di, mi wyddost be i neud.'

Cyn pen yr wythnos, roedd o'n symud allan a'r 'ffrind' yn symud i mewn. Fe'i clywodd yn dweud wrth iddo hel ei dipyn pethau at ei gilydd, 'Sgip, dyna sydd angan yma.'

Yn ôl adra yr aeth o. Doedd ganddo unman arall i fynd.

'Methu dal gafal arni hi nest ti, felly?' holodd ei dad.

'Gora oll,' meddai ei fam. 'Licias i mo'i golwg hi.'

Cyrhaeddai ei waith yn brydlon bob bore a gadawai yr un pryd â phawb arall. Teimlodd yr un a fu â'i llygad arno ias o obaith unwaith eto. Mentrodd ofyn a oedd ganddo awydd dod draw i'r Queens nos Sadwrn.

'Mi dw i'n rhy brysur,' meddai.

'Yn gneud be 'lly?'

Ond ni chymrodd arno ei chlywed.

'Be 'di'r holl lanast 'na sy gen ti'n dy lofft?' holodd ei fam.

'Nid llanast ydi o. Neidar ydi hon, ylwch.'

'Coed tân ydi o i mi.'

Un diwrnod, daeth o hyd i lyffant bach boliog o garreg.

'Be dach chi'n 'i feddwl o hwn?' gofynnodd i'w dad.

Syllodd yntau'n ddiddeall arno a dweud, 'Os ma isio hel cerrig w't ti mae 'na ddigon o angan clirio'r cae isa.'

Bu'n cario'r llyffant bach yn ei boced am rai wythnosau. Bob tro y byddai'n ei gyffwrdd gallai ei chlywed hi'n dweud, 'Mi faswn i wrth 'y modd 'taswn i wedi dŵad o hyd iddo fo.' Ni allai oddef rhagor heb gael ei rannu efo hi. Cael gweld ei llygaid yn gloewi a'r ddwy gyrlen yn siglo wrth iddi ysgwyd ei phen mewn rhyfeddod.

Edrychai'r tŷ yn wahanol rywsut, ond cyn iddo allu dirnad pam roedd y ci lladd defaid wedi camu allan i'r stryd a chau'r drws ar ei ôl.

'Be w't ti isio yma?' holodd yn haerllug. 'Wedi dŵad i snwffian o gwmpas, ia? Waeth i ti heb 'sti. Fi pia hi rŵan.'

'Mae gen i rwbath iddi hi.'

'Tyd â fo i mi.'

'Na. Iddi hi mae o.'

'Well i ti ga'l dŵad i mewn 'lly.'

Roedd 'na rywun yn eistedd wrth y tân. Ond nid *hi* oedd hi. Roedd gwallt hon wedi ei dorri'n gwta, gwta a blewiach duon i'w gweld drwyddo.

'Sut w't ti, John?' meddai gan chwythu mwg drwy'i ffroenau.

'Iawn, am wn i.'

Syllodd yn llywaeth arno, ei llygaid yn ddau bwll tywyll yn y talcen uchel.

'Mi w't ti 'di torri dy wallt.'

'Mae o'n haws 'i drin fel'ma, dydi, del,' meddai'r hen gi, a gwenu gan ddangos rhes o ddannedd mawr, melyn.

Gallai deimlo'r arogl sur yn glynu wrth ei gorff a'i ddillad, yn gen ar ei dafod, a bu'n rhaid iddo garthu ei wddw er mwyn cael ei anadl.

'Mi gei di agor y ffenast os lici di,' meddai hi.

'Mi wna i, os oes raid,' meddai yntau. 'Dydi gormod o awyr iach o ddim lles i neb.'

Gwyliodd John ef yn croesi at y ffenestr ac yn ei hagor hanner modfedd. Doedd yna ddim byd ar y silff ond gwydr peint.

'Be w't ti'n 'i feddwl o hwn?' gofynnodd gan ei ddal i fyny i'r golau a ddeuai drwy'r ffenestr glir. 'Darts Champion 2004, yli. Does 'na neb fedar 'y nghuro i, nag oes, del?'

Ysgydwodd hithau ei phen a thanio sigarét arall.

'W't ti'n dal i weithio yn yr un lle, John?'

'Ydw.'

'Lwcus na roist ti mo'r gora iddi 'te?'

'Ia.'

Syllodd o'i gwmpas ar yr ystafell a fu unwaith yn arogli o awyr iach a mwsog a phridd. Dim glöyn byw, dim hen wraig gam, dim cath â'i chynffon yn cyrlio amdani. Dim ond mwg a llwch a chaniau gweigion. Gwasgodd ei fysedd am y llyffant carreg yn ei boced.

'Fyddi di ddim yn hel petha rŵan?'

'Dim ond meddylia.'

'Fyddat ti ddim balchach o hwn, felly?'

Estynnodd y llyffant a'i ddal ar gledr ei law.

'Be ydi o fod?' holodd hi gan graffu arno drwy'r mwg.

'Ti'n iawn, fydda hi ddim,' meddai yntau. 'Mi w't ti 'di cael siwrna wâst ma arna i ofn.'

Rhoddodd y garreg yn ôl yn ei boced.

'Well i mi fynd,' meddai. 'Mi fyddan nhw'n fy nisgwyl i adra.'

Roedd y ci lladd defaid eisoes wedi agor y drws. Wrth iddo wthio heibio iddo, trawodd ysgwydd John yn erbyn rhywbeth. Yno, ar y pared, roedd dau gorn bach melyn fel dwy gyrlen a dwy gôt yn hongian arnynt.

''U ffansïo nhw, wyt?'

'Na, dim ond edrych.'

Y peth cyntaf wnaeth o ar ôl cyrraedd adref oedd clirio'r geriach o'i lofft, er mawr ryddhad i'w fam, oedd wedi bod yn poeni'n arw yn ei gylch. A'r noson honno aeth at yr afon a gollwng y garreg i ganol y cerrig eraill. Pan ddychwelodd yno drannoeth ni allai ddod o hyd iddi, ac roedd hynny'n rhyddhad iddo yntau.

Ladis bach

Ro'n i'n tynnu at ddiwedd y nofel a'r geiriau'n llifo pan ffoniodd Mam. Dyna'r tro cynta ers blynyddoedd iddi ofyn, 'Pryd w't ti am ddŵad adra?' 'Pam?' meddwn innau, ar dân am gael mynd yn ôl at fy ngwaith. Dim ond dweud, 'Oes angan rheswm?' wnaeth hi, ond roedd o'n ddigon i wneud i mi ddiffodd y peiriant a mynd, a'r ofn be fyddai'n fy nisgwyl yn gwasgu arna i.

Dad agorodd y drws.

'Be w't ti'n neud yma?' holodd.

'Mam ddaru ffonio.'

'Doedd dim angan hynny. Storm mewn cwpan de, 'na'r cwbwl.'

'Ond roedd Mam yn swnio 'di cynhyrfu'n arw. Be sy 'di digwydd, Dad?'

'Well i ti ofyn iddi hi. Wedi picio i'r siop mae hi. Tyn dy gôt a gwna banad i ti dy hun . . . fel 'tasat ti adra 'te. Ar ganol plannu tatws dw i.'

Do'n i ddim yn teimlo fel tynnu 'nghôt na gwneud panad. Nid hwn oedd fy 'adra' i. Roedd gen i fy nghartra fy hun, ac yno yr o'n i eisiau bod. Efallai nad oedd gen i hawl disgwyl croeso a minnau wedi bod mor ddiarth ond siawns nad o'n i'n haeddu gwell ar ôl teithio can milltir a hanner, a hynny i ddim yn ôl pob golwg. Fe allai o leia fod wedi holi sut oedd y gwaith yn mynd, dangos rywfaint o ddiddordeb. Ro'n i wedi gwneud yn siŵr eu bod nhw'n cael copi o bob un o'm llyfrau i, ond pan ofynnais iddo fo unwaith be roedd o'n ei feddwl ohonyn nhw y cyfan ddwedodd o oedd, 'Dydw i'n hidio fawr am dy bobol di.'

Ro'n i'n sefyll wrth y ffenast pan welais i Mam yn cerdded yn ei chwman i fyny'r stryd. Mynd ar ei hunion i'r gegin wnaeth hi, er ei bod hi'n siŵr o fod wedi sylwi ar y car y tu allan. Mi es inna i'w dilyn.

'Mi w't ti 'di cyrradd 'lly,' meddai'n ddigon didaro.

'Ers rhyw chwartar awr.'

Roedd hi'n sefyll a'i chefn ata i, wrthi'n gwagio cynnwys ei bag.

'Lle ma dy dad?' holodd.

'Yn plannu tatws.'

'Ia, ma'n siŵr. Fel 'tasa 'na ddim byd 'di digwydd. Sut w't ti?'

'Iawn. Prysur, fel arfar. Bron â gorffan nofal arall.'

'Go dda.'

'Be sy wedi digwydd, Mam?'

'Dydi o ddim wedi deud wrthat ti?'

'Storm mewn cwpan de oedd hi medda fo.'

'Hy! Nid ynddi hi, ond o'i herwydd hi. I feddwl 'mod i wedi byw efo fo am hannar can mlynadd heb wbod dim. A faswn i'm yn gwbod rŵan chwaith oni bai am yr ewyllys.'

'Pa ewyllys?'

Roedd hi wedi troi ata i a'i llygaid fel dau golsyn poeth. Wrth iddi ei gollwng ei hun ar gadair, rhoddodd hergwd i'r bwrdd a syrthiodd bocs wyau yn glats ar lawr.

'Y Ruth Harris 'na.'

‘Pwy ydi honno?’

Mi es i ati i godi’r wyau, hynny oedd yn weddill ohonyn nhw.

‘Maen nhw i gyd ’di torri ma arna i ofn.’

‘Hidia befo’r blwmin wya! W’t ti isio gwbod?’

‘Wrth gwrs ’y mod i. Dyna pam dw i yma.’

‘Mi w’t ti’n cofio’r ladis bach, fel byddan nhw’n ca’l ’u galw?’

‘Ydw. Merchad y gweinidog.’

‘Mi fuo’r ieuenga ohonyn nhw farw rai wythnosa’n ôl.’

‘Ro’n i’n meddwl ’u bod nhw wedi hen fynd.’

‘A mi ffoniodd y twrna yma, deud ’i bod hi wedi gadal petha i dy dad.’

‘Fel be?’

‘Bwrdd . . . llestri te . . . rhyw nialwch felly.’

‘I Dad? Pam?’

‘Am ’u bod nhw’n arfar bod yn gariadon.’

‘Dad a’r ladi fach! Pryd oedd hynny?’

‘Sbel cyn dy eni di.’

‘A cyn i chi’ch dau briodi, felly?’

‘Dyna pam ddaru o ’mhriodi i ’te. Am nad oedd hi mo’i isio fo. Ail ora ydw i, ac wedi bod rioed.’

‘Peidiwch â siarad gwirion. Be ’di’r ots os oeddan nhw’n gariadon, mewn difri?’

Dyna hi’n syllu arna i a’r ddau lygad poeth yn serio ’nghnawd.

‘Mae o ots. Os w’t ti isio rwbath i’w fyta, helpa dy hun. Mi dw i’n mynd i orwadd lawr.’

Yn ei gwely y buo hi am weddill y min nos. Mi es inna allan at Dad, yn niffyg dim byd gwell i’w wneud.

Mi fûm i’n sefyll yno am sbel, yn gwylio’r dwylo

gwydn yn tyrchu i'r pridd. Roedd hwnnw wedi caledu'n rhimyn o dan ei ewinedd.

'Fydda ddim yn haws i chi brynu tatws na lladd 'ych hun fel'ma?' meddwn i.

Dal i dyrchu wnaeth o, a gofyn,

'Wel, ydi dy fam wedi deud wrthat ti?'

'Methu deall dw i pam adawodd hi fwrdd a llestri i chi, o bob dim?'

'Tyd draw i'r tŷ efo fi fory ac mi gei di wbod.'

Roedd hi wedi t'wllu pan adawodd o'r ardd ac fe aeth i'w wely'n fuan wedyn gan ddweud ei fod am fynd i gysgu i'r llofft gefn rhag ofn iddo fo aflonyddu ar Mam.

Ro'n i wedi bwriadu gwneud rhywfaint o waith, ond fedrais i rioed sgwennu mewn lle diarth. Dim ond eistedd yno am oriau wnes i, yn ysu am gael y cwbwl drosodd a bod yn ôl yn y fflat bach clyd efo 'mhobol fy hun.

Tŷ gweinidog Bethel oedd o, a dyna fydd o am byth i'r rhai sy'n cofio. Doedd gan yr un ddaeth yno i ddilyn y Parchedig Harris na gwraig na phlant nac unrhyw ddiddordeb yn y lle, ac fe gafodd y ddwy ferch a'u mam aros yno. Mae Bethel wedi'i droi'n garej ers rhai blynyddoedd ac roedd y tŷ'n gywilydd ei weld, y tu mewn a'r tu allan.

'Sut galla hi fyw yn y fath le?' meddwn i.

'Am mai hwn oedd 'i chartra hi.'

Mi fedrwn deimlo'r tamprwydd yn glynu wrtha i.

'Wel, lle maen nhw?' holais yn ddiamynedd.

'Y stafall ffrynt.'

Roedd yn amlwg mai yn yr ystafell honno yr oedd hi'n treulio'i dyddiau a'i nosau, er nad oedd yno fawr o'i hôl ar wahân i ddwy gwpan a dwy soser ar fwrdd bach crwn wrth y ffenast. Yno y bydden nhw'n eistedd, y ddwy ladi fach a'u mam, pan fyddwn i'n mynd heibio ar fy ffordd o'r ysgol. Mi fedrwn i gofio gweld y dwylo gwynion glân yn codi'r cwpanau at eu gwefusau.

'Hwn ydi'r bwrdd?'

'Ia. Rhyfadd mor fuan ma llwch yn hel 'te?'

Estynnodd ei hances boced a'i thynnu'n ysgafn dros wyneb y bwrdd.

'I bwy mae'r ail gwpan?'

'Mi fyddwn i'n galw yma amball bnawn.'

'Ydi Mam yn gwbod?'

'Ydi, rŵan.'

'Mae hi'n meddwl mai ail ora oedd hi a'ch bod chi wedi'i phriodi hi am fod hon wedi'ch gwrthod chi. Ydi hynny'n wir?'

'Ydi. Ond mae dy fam a finna 'di dŵad i ben yn iawn 'sti, a mi wnawn eto.'

Pan gyrhaeddon ni'n ôl, roedd Mam wedi clirio lle i'r bwrdd yn y parlwr.

'Mi ddeudis i y bydda pob dim yn iawn, yn do?' sibrydodd Dad, wrthi'n gosod y bwrdd wrth y ffenast a'r cwpanau a'r soseri arno, fel yr oedden nhw yn nhŷ'r gweinidog. Ond mi wyddwn i na fyddai pethau byth yr un fath eto pan ofynnodd Mam i mi pan o'n i'n gadael,

'Ddeudodd o wrthat ti 'i fod o'n galw i'w gweld hi?'

'Do.'

'A hitha 'di gneud tro mor wael efo fo. Dyna sy'n brifo fwya, am wn i.'

'Ond mae hi wedi mynd rŵan.'

'O, nag ydi.'

Fe ddaeth Dad i 'nanfon i at y car.

'Mi w't ti'n ddig efo fi, dwyt?' meddai.

'Ydw. Ydach chi am ddeud wrtha i pam ddaru'r Ruth Harris 'na'ch gwrthod chi?'

'Ro'n i'n gobeithio y bydda un sy'n sgwennu fel chdi yn deall pam. Ond os w't ti isio gwbod . . .'

'Ddim o ddifri. Dydw i'n hidio dim amdanoch chi a'ch pobol, mwy nag ydach chi am fy mhobol i.'

'Prin fod rheiny'n gallu byw efo nhw'u hunain, heb sôn am neb arall.'

'Ond fedra'r un ohonyn nhw fyw celwydd, fel yr ydach chi wedi'i neud. Os oes ganddoch chi rywfaint o feddwl o Mam mi ddylach neud i ffwrdd â'r bwrdd a'r llestri 'na fory nesa.'

'Wna i byth mo hynny.'

Yn ôl yn fy nghartra fy hun, y peth cynta wnes i oedd tanio'r peiriant. Roedd yr hyn yr o'n i wedi'i greu yno'n barod i mi ailgydio ynddo. Ond y cyfan fedrwn i ei weld ar y sgrîn oedd y dwylo gwynion, glân. Roedd 'na sbecyn o lwch ar flaen un o'r bysedd. Un chwythiad bach a byddai hwnnw'n diflannu. Ond fe fyddai'r dwylo'n dal yno, ac mi wyddwn fod yn rhaid i mi gael ateb i'r 'Pam?' cyn y gallwn i gael eu gwared.

* * *

Am bedwar y prynhawn maen nhw'n eistedd mewn un ystafell yn y tŷ a fwriadwyd ar gyfer teulu ond nad ydy o bellach yn ffit i neb. Mae hwnnw wedi diodda'r stormydd i gyd, ond dydyn nhw ddim gwaeth.

Gweinidog oedd Tada, wedi derbyn galwad oddi

uchod yn ogystal â'r eglwys. Un tlawd a balch, ei Dduw wedi ei ddewis i siarad drosto ac yn dibynnu arno i roi arweiniad i rai oedd yn credu fod tocyn aelodaeth a thâl am sêt ym Methel yn rhoi mynediad i'r nefoedd. Ei ddyletswydd ef oedd eu hatgoffa fod yna ben siwrnai arall. Roedd ganddo lais fel taran a allai agor eu clustiau i glywed hisian y fflamau a dyrnau mawr a allai daro'r pulpud heb deimlo poen. Dyn oedd yn hawlio parch, ac yn ei gael, wrth ben pentan ac ar ben ffordd.

Gwraig i weinidog oedd Mami, yr un mor dlawd a balch â'i gŵr. Fe'i câi hi'n anodd gwahaniaethu rhyngddo a'i Dduw ac ni allodd erioed alw'r naill na'r llall yn ddim ond 'chi'. Ambell fore, gallai deimlo'r chwys oer yn ei cherdded wrth feddwl am yr hyn a ddigwyddai yn nhywyllwch eu hystafell wely. Pan welai'r bysedd a adawsai gleisiau ar ei chorff yn plethu mewn gweddi byddai'n cenfigennu wrth y Fair a genhedlodd ei phlentyn mor rhwydd â phetai adenydd iâr fach yr ha wedi cyffwrdd â hi wrth fynd heibio. Er ei bod wedi ei pharatoi ei hun ar gyfer poen y geni, gwyddai na allai byth anghofio'r annhegwch o orfod dioddef am wneud ei dyletswydd. A'i gŵr ar ei liniau yn diolch i'w Dduw am wyrth arall, addawodd iddi ei hun y gwnâi bopeth y gallai i arbed ei dwy ferch fach rhag cael eu cosbi ar gam.

Merched gweinidog a'i wraig oedd y ddwy o'r munud cynta y gwelson nhw olau dydd. Fydden nhw byth yn sgrechian crio fel plant eraill, byth yn mynnu cael eu codi a'u mwytho. Rhai bach, ysgafn oedden nhw, fel eu mam, yn anweledig gan amlaf yn y tŷ mawr, gwag. Ni fu'n rhaid i Mami erioed eu rhybuddio i beidio aflonyddu ar eu tad na'u hatgoffa i olchi'u dwylo cyn dod at y bwrdd bwyd.

Roedden nhw wedi cau eu llygaid a phlethu'u bysedd cyn iddo glirio'i lwnc i ofyn bendith.

Ddwywaith yr wythnos, er mwyn i'w mam gael cyfle i ddilyn ei dyletswyddau fel gwraig gweinidog, deuai dynes o'r pentref yno i warchod. Wedi iddi ddychwelyd o'r tawelwch llonydd i'w bedlam o gartref byddai'n dweud wrth ei phlant, 'Biti na fyddach chi'n debycach i genod bach y gw'nidog', gan ddiolch nad oedden nhw ddim. A byddai Mami'n dychwelyd o fod yn ymweld â'r aelodau, ei phen yn hollti ac ôl bysedd barus yn staen ar ei dillad, at ei merched bach gan ddiolch nad oedden nhw ddim fel plant eraill.

Ni chafodd yr un athro nac athrawes reswm i'w dwrdio na'u cosbi. 'Mor braf fyddai hi arnon ni petai pawb mor hawdd eu trin,' medden nhw wrth wraig y gweinidog. Fydden nhw ddim wedi mentro dweud y fath beth wrtho fo. Byddai hynny'n gyfystyr â chyfaddef methiant. Fydden nhw ddim wedi meiddio cyfaddef chwaith nad oedd rhoi heb gael dim yn ôl yn beth mor braf, ac na allodd yr un ohonynt agor drysau clo'r wynebau bach gwelw.

Er na fu iddynt erioed lunio esgus rhag gorfod mynd i'r ysgol, roedden nhw'r un mor fodlon ei gadael. Beth arall allai dwy ladi fach nad oedd ganddyn nhw fawr yn eu pennau na'r ysfa i wybod rhagor ei wneud? Pan oedd rhai o'r un oed â nhw yn maeddu'u dwylo ar fudreddi pobl eraill er mwyn gallu byw, roedden nhw'n dal i fodoli yn y gwacter y tu ôl i'w drysau clo.

'Dydi'r peth ddim yn naturiol,' meddai'r wraig a arferai eu gwarchod wrth ei mab, y sgolor bach addawol na allodd fforddio ei gadw yn yr ysgol. 'Nac yn deg,' meddai hi wedyn, a'r boen o wybod nad oedd dim y gallai hi ei wneud i newid pethau yn gwasgu arni.

Ond gallai Mami fforddio ymlacio bellach. Nid oedd y rhusio gwyllt a'r geiriau anweddus a glywsai'n gwreichioni ar iard yr ysgol wedi cyffwrdd â'i merched hi. Roedden nhw'n ddiogel. Pan fyddai'n rhaid iddynt symud allan i oedfaon a seiat gwnâi'n siŵr ei bod hi efo nhw. Am bedwar bob prynhawn, eisteddai'r tair wrth fwrdd bach wedi'i orchuddio â lliain les. Cau llygaid, plethu bysedd, cymryd eu tro i sibrwd bendith a bod yn fam. Tair llwyaid wastad o siwgwr, tair llwy arian yn rhoi tri thro, tri bys, tri bawd a thri bys bach crwca yn codi'r cwpanau tsieni at dair gwefus, tra oedd Tada a'i Dduw yn rhannu stydi a phobol yn y byd y tu allan yn rhannu'r byw blêr nad oedd a wnelo nhw ddim byd â fo.

Roedd pawb yn barod i gytuno â gwraig y gweinidog mai straen y cyfrifoldeb mawr a osododd Duw ar ei ysgwyddau oedd wedi bod yn ormod i'w gŵr, er bod rhai'n credu'n ddistaw bach nad oedd y bygythiadau a'r dyrnu wedi gwneud unrhyw les iddo. Roedd y tair wedi gofalu fod ganddyn nhw hancesi'n barod ddiwrnod yr angladd. Ond nid oedd dim o'u hangen a hwythau'n gwybod nad oedd ond un pen siwrnai'n bosibl i un a enillodd y fath barch. Am bedwar y prynhawn hwnnw, roedden nhw wrth y bwrdd bach yn diolch am y fraint o'i gael yn ŵr a thad cyn codi'r cwpanau at eu gwefusau a theimlo'r melyster ar eu tafodau.

Ond un diwrnod, pan aethant ati i baratoi am chwarter i bedwar fel arfer, cawsant sioc o weld fod y gist de'n wag. Roedd Mami yn ei beio ei hun. Sut y gallai fod wedi anghofio archebu'r te a hithau mor ofalus? 'Henaint, mae'n rhaid,' meddai hi gan chwilio yn ei phoced am hances i sychu'r dagrau. 'Fe ddylan ninna fod wedi sylwi,' medden nhw, nad oedden nhw erioed wedi gorfod gofalu am yfory. Cynigiodd un ohonynt bicio i'r siop. Er eu bod yn gyndyn o adael iddi fynd, ni allent ddygymod â gwneud heb eu te bach.

Roedd yn chwarter wedi pedwar arni'n dychwelyd. Wedi cael ei chadw'n siarad gan un o aelodau'r capel, meddai hi. Aeth ei chwaer ati i ail-lenwi'r tecell oedd wedi berwi'n sych, heb sylwi dim ar y gwrid uchel a'r cryndod yn y llais. Ond roedd Mami wedi gweld a chlywed. Er iddi deimlo ias o ofn wrth feddwl y gallai, oherwydd ei hesgeulustod, fod wedi methu yn ei dyletswydd o arbed un o'i merched, gallodd ei chysuro ei hun wrth iddi sipian ei the na fyddai Ruth byth yn gadael i'r byd y tu allan ymyrryd â hi.

Ond roedd hwnnw wedi gwneud mwy nag ymyrryd; wedi llwyddo i agor un o'r drysau clo, ac wedi peri i eneth oedd wedi derbyn popeth yn ddi-gwestiwn ysu am wybod rhagor. Pan adawodd y siop cawsai fraw o glywed sŵn traed yn ei dilyn, a mwy o fraw fyth pan deimlodd law ar ei braich.

'Ma'n ddrwg gen i,' meddai llais anghyfarwydd. 'Do'n i ddim yn bwriadu'ch dychryn chi.'

Y cyfan roedd hi ei eisiau ar y pryd oedd cyrraedd diogelwch y bwrdd bach, ond roedd fel petai wedi rhewi yn ei hunfan.

'Dydach chi ddim yn 'y nghofio i, yn nag ydach? Mi fydda Mam yn dŵad â fi acw efo hi weithia pan oedd hi'n eich gwarchod chi a'ch chwaer.'

Ond sut y gallai hi fod wedi ei 'nabod? Roedd hi'n

ymwybodol ei fod yno ac o glywed ei fam yn dweud, 'Paid ti â meiddio symud o'r gadar 'na. Nid adra w't ti rŵan', ond ni fyddai merched bach neis byth yn syllu, byth yn gweld dim ond yr hyn ddylen nhw. Welodd hi mohono yn yr ysgol chwaith ond roedd o yno, er nad yn yr un dosbarth gan ei fod flwyddyn yn hŷn na hi. Gorfod 'madael wnaeth o, i fynd i weithio. A hithau, na fu erioed yn ymwybodol o unrhyw orfodaeth, yn synhwyro, heb ddeall, gymaint yr oedd hynny'n brifo.

'Mi fyddwch chi'n fy 'nabod i'r tro nesa,' meddai wrth iddynt wahanu.

Ac fe ddaeth i'w 'nabod, yn blagus o araf. Roedd ganddi gymaint i'w ofyn, gymaint i'w ddysgu, a'u hamser efo'i gilydd mor brin. Dim ond munudau gorlawn wedi'u dwyn o'r dyddiau gweigion a byth, byth yn ddigon. Gwyddai y byddai Tada wedi diarhebu petai'n gwybod fod un o'i ferched yn gallu bod mor gyfrwys, mor ddichellgar, ond ni wyddai ddim am boen ei mam na'i phenderfyniad o gadw'r addewid a wnaethai. Mor falch oedd hi o'i chlywed yn gofyn un diwrnod,

'Wel, ydach chi am ddweud wrthon ni pwy ydi o, Ruth?'

Mami awgrymodd ei bod yn gofyn iddo ddod i de. Hi hefyd dynnodd sylw at y baw o dan ei ewinedd, heb ddweud gair, dim ond edrych drwy gil ei llygad ar y llaw fawr, wydn yn cau'n ddwrn am ddolen y gwpan tsieni, a'i gorfodi hithau i weld ac i dderbyn nad oedd a wnelo'r byd y tu allan ddim â hi.

*　　　*　　　*

Roedd y stori'n llenwi'r sgrîn. Fyddai gan yr un o 'narllenwyr i unrhyw ddiddordeb ynddi, hyd yn oed pe baen nhw'n deall yr iaith. Fydden nhw ddim yn gallu credu chwaith fod rhai fel y ladis bach yn bod. Gair budur ydy neis iddyn nhw a does 'na ddim byd yn werth ei gael heb orfod ymladd amdano. Wnes i ddim trafferthu ei harbed hi hyd yn oed. Un clic bach, ac roedd y stori – a'r dwylo – wedi diflannu.

Un clic arall, ac ro'n i'n ôl efo'r nofel y bu i mi ei gadael i fynd ar siwrnai seithug. Yn ôl efo fy mhobol fy hun. Dechreuodd y geiriau lifo.

Pwdin yn brin

Mae 'na ambell un sy'n ddigon lwcus i gael ei eni â llwy aur yn ei geg, ond mae'r rhan fwya'n dibynnu ar lwyau plastig a rhai'n gorfod gneud heb lwy o unrhyw fath; pobol sydd wedi'u geni i fod yn anlwcus, am ryw reswm neu'i gilydd, weithiau heb reswm o fath yn y byd. Un o'r rheiny oedd Glyn Siop. Dwy law chwith, dau droed chwith, a golwg byr. Fe fu'r sbectol gwydra-gwaelod-potal-lefrith yn help iddo ffeindio'i ffordd o gwmpas, ond doedd 'na ddim byd allai neb ei wneud ynglŷn â'r dwylo a'r traed.

Roedd Annie, ei fam, yn ddynas capal ac wedi'i magu i dderbyn fod y Beibl yn wir bob gair. Pan fu'n rhaid iddyn nhw fynd â'r bychan i adran ddamweiniau'r ysbyty am yr eildro mewn ychydig wythnosau, rhannodd ei hofnau â Mary, ei chwaer, un o'r ychydig oedd yn weddill mewn byd oedd yn prysur fynd â'i ben iddo a fyddai'n debygol o ddeall cysylltiad grawnwin surion a dincod ar dannedd.

'Meddwl am hen ddyn y Gelli w't ti?' holodd Mary.

'Ia, siŵr, pwy arall? Fedar neb bwyntio bys at yr un o'n teulu ni, diolch am hynny.'

'Ma'n rhyfeddod fod Elwyn gystal ac ynta efo'r fath fochyn o dad.'

'Mi gafodd o'i arbad, yn do. Glyn bach sy'n gorfod diodda.'

Ni fyddai wedi sôn wrth Elwyn oni bai iddo ei

chyhuddo o fod yn esgeulus. Newydd ddychwelyd o'r ysbyty am y trydydd tro yr oedden nhw.

'Fedri di ddim cadw gwell golwg ar yr hogyn, d'wad?' holodd, o'i go o fod wedi colli oriau o fusnes.

Roedd hynny'n ormod i un y disgwylid iddi fod â llygaid yn nhu ôl ei phen ac o leia ddau bâr o ddwylo ei oddef ac meddai, yn dawel ond yn bendant,

'Dy dad sy'n gyfrifol.'

'Ond ma'r diawl hwnnw 'di cicio'r bwcad ers blynyddoedd.'

'Dincod ar ddannedd, Elwyn.'

'Y?'

'Anwiredd y tadau'n ymweld â'r plant.'

Ond doedd o ddim callach wedyn chwaith. Rhoddodd un cynnig arall arni.

'Glyn ni sy'n ca'l 'i gosbi am be ddaru dy dad.'

'Paid â rwdlan.'

'Ond mae o'n deud yn y Beibil . . .'

'Chdi a dy Feibil! Os ma dyna'r math o Dduw sydd gen ti dydw i isio dim i neud efo fo.'

Dyna'r tro cyntaf a'r tro olaf i Annie grybwyll y peth. Gan fod derbyn y geiriau yn gyfystyr â'u byw, gallodd faddau i Elwyn am fod mor barod i weld bai ar Dduw ac mor amharod i gredu'r gwirionedd. Roedd pobl y pentref yn cytuno fod Annie Siop yn ddynas dda, ac yn synnu fod un mor agos i'w lle â hi wedi dewis priodi mab dyn oedd wedi torri mwy o orchmynion na hyd yn oed y rhai mwyaf di-grefydd ohonyn nhw i gyd efo'i gilydd. Cymryd trueni arno fo wnaeth hi, debyg. Dim ond gobeithio fod Elwyn Parry yn gwerthfawrogi hynny.

Roedd o yn gwerthfawrogi, yn ei ffordd garbwl ei hun.

Ni allai neb fod wedi cael gwell gwraig. Biti ar y naw na fydden nhw wedi aros fel roedden nhw. Ni fu ganddo ef erioed awydd bod yn dad. Annie oedd wedi mynnu fod cenhedlu plant yn rhan o amod yr hyn roedd hi'n ei alw'n lân briodas. Dim ond un gawson nhw, drwy drugaredd. Gan ei fod o'n treulio'i amser yn y siop a hwythau'u dau yn y tŷ a'r drws wedi'i gau'n dynn rhyngddyn nhw, gallodd ddygymod yn eitha nes i Annie ei orfodi i gofio pwy oedd o. Roedd bai arno'n ei chyhuddo o esgeuluso'r hogyn ac yntau'n gwybod pa mor ofalus oedd hi ohono, ond doedd dim rhaid iddi hithau fod mor frwnt ei thafod.

Gwaethygu wnaeth pethau pan fu'n rhaid i Glyn Siop fynd i'r ysgol, heb fam i gadw llygad arno. Byddai Miss wedi glanhau'r bwrdd du cyn iddo gael y geiriau a'r symiau ar bapur. Ef oedd yr un dros ben pan fyddent yn dewis timau, gan ei fod yn fwy o rwystr nag o help, yn cicio ac yn taro'r gwynt yn lle'r bêl. Doedd neb yn gas efo fo nac yn ei fwlio. Fe wnâi'r prifathro, oedd yn flaenor yn y capel, yn siŵr o hynny. Anghofio amdano y bydden nhw, nid yn fwriadol, ond am fod hynny'n beth mor hawdd. Ceisio'i anghofio a wnâi Elwyn hefyd, gan amlaf, a chanolbwyntio ar ei waith.

Roedd athrawon yr ysgol fach yn adnabod Annie Siop yn rhy dda i edliw ei dwpdra i Glyn, ond cafodd wybod yn ystod ei wythnos gyntaf yn ysgol y dref, a hynny heb flewyn ar dafod, nad oedd ddiben iddo fod yno o gwbwl. Byddai wedi darfod arno yn ystod un wers nofio oni bai i Hughes P.E. blymio i'r pwll a'i lusgo i'r lan.

'Wn i'm i be oedd o'n boddran,' meddai Dei, un o fechgyn y pentref. 'Does 'na'r un o deulu'r Gelli'n werth 'i achub.'

Dyna fuo fo wedyn – nid Glyn Siop, ond Glyn Gelli.

'Alwa i di'n Glyn Siop os lici di,' meddai Lis, oedd yn nosbarth ei fam yn yr Ysgol Sul.

'Dim ots gen i.'

'Mi ddyla fod ots gen ti.'

Cafodd wybod ganddi, heb holi, fel yr oedd taid Gelli wedi cael ei ddal yn myrryd efo merched bach a'i roi dan glo am hanner lladd tad un ohonyn nhw. 'Sori, Glyn,' meddai Lis. 'Ma'n well i ti ga'l gwbod. Ond does gen ti mo'r help am dy daid, yn nagoes?'

Difaru bod yn ffeind wnaeth hi. Roedd o'n ei dilyn i bobman a'i lygaid yn serennu arni drwy'r gwydrau trwchus. Daeth pethau i ben un prynhawn Sul pan ddywedodd Annie Parry,

'Mi dw i'n dallt eich bod chi a Glyn yn dipyn o ffrindia, Lis.'

'Fo ddeudodd hynny?' holodd.

'Roedd o'n swil o gyfadda, ond ro'n i 'di ama fod ganddo fo rywun. Mi dw i mor falch ma chi ydi hi.'

'Dydw i ddim.

Roedd o'n aros amdani y tu allan i'r festri. 'Piss off, Glyn Gelli,' gwaeddodd nerth esgyrn ei phen. 'A paid â dŵad yn agos ata i byth eto.'

Ar eu ffordd adra yr oedden nhw pan ddywedodd Annie,

'Mi ddyla genath fel hi wbod yn well.'

'Dydi hynna ddim byd i be ma rhai ohonyn nhw'n 'i ddeud.'

'Mi glywist be ddaru hi dy alw di?'

'Dyna maen nhw i gyd yn 'y ngalw i. Ond does gen i mo'r help fod taid Gelli'n ddyn mor ddrwg.'

'Nag oes siŵr.'

'Dydi o ddim ots felly, nag'di?'

Gadawodd Glyn yr ysgol yn waglaw ac ni welodd neb ei golli.

'Oes gen Huw chdi rwbath iddo fo'n yr iard goed, Mary?' holodd Annie.

'Be am y siop?'

'Fedri di ddychmygu Glyn tu ôl i gowntar? Mi fydda'r busnas wedi mynd â'i ben iddo mewn dim.'

'Trio gneud bywoliath ma Huw hefyd 'sti, ond mi ofynna i iddo fo.'

'Be fedar o 'i neud?' holodd Huw.

'Dim byd, hyd y gwn i, ond ma'r cradur bach yn haeddu cyfla, dydi? A mi fydda'n well iddo fo aros yma efo ni yn ystod yr wythnos er mwyn i ti allu cadw golwg arno fo. Ma'r hogyn angan gofal tad.'

Cytunodd Huw i roi'r cyfle i Glyn, er mawr ryddhad i Elwyn, ac i Annie, er na fyddai hi wedi cymryd y byd â chyfaddef hynny. Bu'n oedi cyn gofyn i Mary sut oedd Glyn yn plesio.

'Ddim rhy dda, ma arna i ofn. Dydi iard goed, mwy na nunlla arall, yn lle i un efo dwy law a dau droed chwith.'

'Ond nid arno fo ma'r bai.'

Heb Glyn yno i'w atgoffa, anaml y byddai Elwyn Parry yn cofio pwy oedd o. Roedd Annie ac yntau yn ôl efo'i gilydd fel yr oedden nhw'n ystod y blynyddoedd cynnar, fel y dylen nhw fod. Deuai Glyn draw i'w ginio Sul a diflannu cyn sychu'i geg. Wedi addo mynd â Catrin i'r parc, medda fo,

'A pwy ydi honno, tybad?' holodd Elwyn, gan obeithio fod Glyn wedi dod o hyd i ryw frân arall o'r diwedd.

'Wyras fach Mary, merch Elsie, 'te,' eglurodd Annie. 'Mae hi'n meddwl y byd o Glyn.'

'Ydi o i'w drystio efo hi?'

'Be w't ti'n feddwl?' yn siarp.

'Dydi o mo'r un gora am edrych ar 'i ôl 'i hun, heb sôn am rywun arall. W't ti'n cofio'r holl ddamweinia fydda fo'n 'u ca'l?'

'O, ydw, yn cofio'r cwbwl.'

A'i nerfau'n rhacs a'i amynedd wedi breuo'n ddim, nid oedd gan Huw ddewis ond rhoi ei gardiau i Glyn drwy gymryd arno fod yn rhaid torri ar nifer y gweithwyr er mwyn y busnes.

'Hidiwch befo,' meddai yntau. 'Ola mewn, cynta allan 'te. Y siop amdani 'lly.'

Bu un olwg ar wyneb Mary yn ddigon i beri i Huw ddweud yn frysiog,

'Does dim angan hynny. Mi ddown ni o hyd i rwbath i ti.'

Y Sul canlynol, cyhoeddodd Glyn wrth y bwrdd cinio ei fod wedi cael gwaith yn Asda.

'Duw a'n helpo!' ebychodd Elwyn. 'Yn gneud be, felly?'

''Dwn i'm eto. Ma'n rhaid i mi fynd. Catrin yn aros amdana i.'

Cythrodd Annie am y ffôn.

'Be fydd Glyn yn 'i neud yn yr Asda 'na, Mary?' holodd, cyn i'w chwaer gael cyfle i ddweud helô.

'Hel trolis.'

'A pam gafodd o 'i stopio yn yr iard, dyna liciwn i wbod.'

'Dim digon o waith iddo fo fel ma petha.'

'On'd ydi o'n un anlwcus! Aros efo chi neith o, debyg?' Ac Elwyn yn gwrando efo un glust ac yn croesi'i fysedd.

'Gofala be w't ti'n neud efo'r trolis 'na, Glyn,' rhybuddiodd Mary. Roedd o yn ofalus, ac yn dal ei afael yn dynn ynddyn nhw fel yn llaw Catrin fach. Os oedd 'na ambell ddamwain yn digwydd, ar bobl yr oedd y bai, yn eu parcio'u hunain a'u ceir lle na ddylen nhw.

Roedd o wrthi'n casglu'r trolis i'w corlannu un pnawn pan glywodd sŵn plentyn yn crio. Geneth fach oedd hi, iau na Catrin, heb ddim ond dagrau i fynegi'i gofid. Gafaelodd ynddi a'i chodi'n ei freichiau. Y munud nesaf, roedd dynes wyllt yr olwg yn ei chipio oddi arno ac yn ei alw'n bob enw dan haul.

Pan gyrhaeddodd Mary'r swyddfa, wedi ei galw yno gan y rheolwr, roedd Glyn yn cael ei holi gan ddau blismon.

'Crio oedd hi, Anti Mary, ac isio mwytha,' eglurodd Glyn. 'Deudwch chi wrthyn nhw. Does 'na neb yn gwrando arna i.'

Er i Mary lwyddo i ddarbwyllo'r plismyn a'r rheolwr a thawelu'r fam, ni allai gael gwared â'r ofn oedd yn corddi o'i mewn bob tro y gwelai Catrin yn gadael y tŷ yng nghwmni Glyn. Chwyddodd yr ofn hwnnw pan ddywedodd un o'r cymdogion wrthi fod rhai o'r mamau'n cwyno yn ei gylch.

'Be mae o 'di neud, felly?' holodd Huw.

'Wedi'i weld o'n stelcian y tu allan i'r ysgol maen nhw. A mae o'n byw a bod yn y parc.'

'Mae ganddo fo fyd garw efo plant, does.'

'Fel oedd gen 'i daid, yn enwedig merchad bach.'

'Dw't ti rioed yn awgrymu . . .'

'Wn i'm be i feddwl. Y cwbwl wn i ydi nad ydw i mo'i isio fo yma.'

'Ond be ddeudith Annie?'

'Dydi o'm tamad o ots gen i. Hi ddaru ddewis priodi'r Elwyn 'na.'

'Am 'i yrru o adra w't ti?'

'Na, fedra i ddim gneud hynny. Nid arno fo ma'r bai.'

Pan geisiodd Mary argyhoeddi ei chwaer ei bod yn hen bryd i Glyn sefyll ar ei draed ei hun, pa mor chwithig bynnag oedden nhw, meddai honno,

'Mi dach chitha 'di ca'l digon arno fo, felly?'

'Mae Huw 'di gneud dipyn mwy iddo fo na wnaeth Elwyn rioed, Annie.'

'Ofn bod yn dad oedd ganddo fo. Diolch 'i fod o wedi ca'l 'i arbad, o leia, ond doedd 'na ddim byd fedrwn i neud i Glyn druan. Dincod ar ddannedd 'te?'

Beichio crio wnaeth Catrin pan glywodd fod Glyn yn symud i fflat mewn rhan arall o'r dre. Plethodd ei freichiau amdani a'i gwasgu ato.

'Mi ddo i i dy weld di bob cyfla ga i,' addawodd.

'Well i ti beidio 'ngwas i,' rhybuddiodd Mary.

Ar ysgwyddau'r tad dros dro y syrthiodd y baich o geisio egluro.

'Dydw i'm 'di gneud dim byd, Yncl Huw,' protestiodd Glyn a chryndod yn ei lais.

'Ond mi fasa'n well i ti gadw draw. Ac o'r ysgol a'r parc hefyd. Gneud ffrindia efo rhai o'r un oed â chdi. Mi w't ti yn dallt pam, dwyt?'

Nid oedd Glyn ond prin wedi setlo'n y fflat pan ddychwelodd un pnawn i gael Catrin yn aros amdano wrth y drws.

'Be w't ti'n neud yn fan'ma?' holodd.

'Dy weld ti.'

'Sut gwyddat ti lle o'n i'n byw?'

'Cofio Nain yn deud. Clyfar 'te?'

'Clyfar iawn. W't ti isio diod?'

'A bisged siocled! Pam na fasat ti 'di dŵad i 'ngweld i, Glyn?'

'Nhw ddeudodd wrtha i am beidio.'

'Pam?'

''Dwn i'm 'sti. Ddim isio i ni fod yn ffrindia, am wn i.'

'Ond mi rydan ni, dydan?'

'Wrth gwrs ein bod ni.'

'Ga i ddŵad yma eto?'

'Cei, siŵr. Ond paid â deud wrth dy nain.'

Dod i wybod wnaeth hi, wrth gwrs. Roedd rhywun wedi gweld ac wedi prepian. Gwadu iddi fod yno wnaeth Catrin.

'Pam mae hi'n gneud hynny, Huw?' holodd Mary.

'Be wn i?'

'Y Glyn 'na sydd wedi'i siarsio hi i beidio deud 'te.'

'Bosib iawn.'

'Mi w't titha'n ama 'lly?'

'Meddwl fod ganddo ofn i ni ddŵad i wbod o'n i.'

'Yn hollol. Mi fydd raid i mi ddeud wrth Elsie.'

'Ydi hynny'n beth doeth, d'wad? Mae hi mor fyrbwyll. Does wbod be neith hi.'

Galw yn swyddfa'r heddlu i gwyno wnaeth Elsie, ond nid cyn iddi wneud yn berffaith glir na fyddai byth yn maddau i Mary am geisio arbed mab ei chwaer ar draul ei hwyres fach ei hun.

'Wna inna byth fadda i mi fy hun,' meddai hithau.

Mentrodd Huw awgrymu efallai nad oedd dim i'w faddau a bod yr hogyn wedi bod yn ddigon anlwcus heb i Elsie ei gael i fwy o helynt. Cofiodd Mary fel y bu i Annie ddweud wrthi nad oedd dim y gallai ei wneud i Glyn druan.

'Mae hyn er 'i les o, gymint â neb,' mynnodd.

Dyna ddywedodd y ddau blismon a eisteddai gyferbyn â Glyn wrth fwrdd moel yn yr ystafell gyfweld hefyd.

'Waeth i ti gyfadda rŵan ddim,' rhybuddiodd un ohonynt. 'Arbad amsar i bawb.'

'Ond dydw i'm 'di gneud dim byd.'

'Dyna maen nhw i gyd yn 'i ddeud.'

Roedd yr hynaf o'r ddau yn syllu'n galed arno.

'Mi w't ti 'di bod yma o'r blaen, yn do?' arthiodd.

Cliriodd yr un ieuengaf ei wddw ac meddai'n betrus,

'*First offence*, Inspector. Er, mi fuo 'na ryw helynt tu allan i Asda. Mae o i gyd yn y riport.'

'Tyn dy sbectol, llanc.'

'Fedra i ddim gweld hebddi.'

'Fi sydd isio gweld, nid chdi.'

Astudiodd yr adroddiad a chraffu ar Glyn ar yn ail.

'O'r Llan, ia? Mi o'n i'n blismon yno flynyddodd yn ôl. Doeddat ti ddim yn digwydd 'nabod 'rhen Parry Gelli, oeddat?'

'Roedd o'n daid i mi. Ond does gen i ddim help am hynny.'

Anwybyddodd yr Arolygydd y sylw olaf ac meddai,

'Ro'n i'n meddwl dy fod ti'n fy atgoffa i o rywun. Mi w't ti rêl teulu Gelli, dwyt?'

Ifan bach

Damwain oedd Ifan bach. Roedd yna ormod ohonyn nhw fel roedd hi, yn llenwi'r tŷ hyd at ei ymylon ac yn sathru traed ei gilydd. Byddai Megan wedi bod yn fwy na bodlon gwneud lle i'r babi newydd petai'n hi yn hytrach na fo, ond y peth olaf oedd hi ei eisiau oedd brawd arall. Ni welsai erioed beth bach mor hyll, ei groen yn hongian yn llac amdano ac yn grychiadau i gyd. Wedi cyrraedd cyn ei amser yr oedd o, yn ôl ei thad.

'Mi fydda'n well 'tasa fo heb gyrradd o gwbwl,' meddai ei mam.

A Nain, oedd wedi helpu i fagu'r lleill, yn dweud yn gas, 'Biti ar y naw na fasach chi wedi meddwl am hynny cyn dŵad ag un arall i'r byd.'

Roedd pawb fel pe baen nhw wedi digio wrth ei gilydd. Eu mam mor bigog â draenog a'u tad â'i ben yn ei blu.

'Mi oedd bob dim yn iawn cyn iddi ga'l y blwmin babi 'na,' cwynodd yr hynaf o'r bechgyn.

'Pam na fedran nhw 'i yrru o'n ôl?' holodd yr ieuengaf.

'Neu 'i roi o i rywun,' meddai'r brawd arall.

A Megan yn cytuno â'r tri, am unwaith.

Roedd Ifan fel petai'n sylweddoli nad oedd groeso iddo ac yn gwneud ati i dynnu sylw ato'i hun. Pan ddaeth Megan adref o'r ysgol un diwrnod, dyna lle'r oedd ei thad yn eistedd yn y gegin ac Ifan yn gorwedd ar draws ei lin, yn sgrechian ei ben i ffwrdd.

'Wn i'm be i neud efo fo,' cwynodd.

'Lle mae Mam?'

'Yn 'i gwely.'

'Ydi hi'n sâl?'

'Ydi, medda hi. Ac arna i mae'r bai. Ond mae angan dau, does?'

'Dau o be?'

'Hidia befo. Tria di ga'l hwn i gau 'i geg.'

Cyn iddi gael cyfle i brotestio roedd o wedi sodro'r babi'n ei breichiau. Teimlodd Megan wlybaniaeth yn socian drwy lawes ei blows.

''Di glychu'i glwt mae o.'

'Mi w't ti'n ddigon hen i allu 'i newid o, siawns. Mae'n rhaid mi fynd yn ôl at 'y ngwaith. A paid ti â gadal i'r hogia styrbio dy fam. Dydi hi ddim isio gweld neb.'

Nid oedd hithau eisiau gweld yr wyneb bach hyll chwaith.

'Niwsans, dyna be w't ti,' mwmiodd. 'Dim ond niwsans i bawb.'

Petai Megan wedi ei roi'n ôl yn ei bram heb edrych arno, a diflannu fel y gwnaethai pawb arall, byddai ei bywyd wedi bod yn llawer rhwyddach. Ond edrych wnaeth hi, a sylwi ei fod yn dechrau llenwi'i groen ac nad oedd yna fawr o grychiadau'n weddill ynddo, fel petai rhywun wedi bod wrthi'n ei smwddio. Er nad oedd o'r peth dela welodd hi erioed, doedd o ddim yn hyll, o bell ffordd. Lapiodd ei breichiau amdano. Peidiodd y sgrechian a dechreuodd Ifan ganu grwndi fel cath fach. Ac o'r diwrnod hwnnw ymlaen, ei babi hi oedd o.

Bob tro y byddai Ifan yn dechrau codi'i lais, byddai rhywun yn siŵr o ddweud, 'Chdi mae o isio, Meg.'

Ni allai Mam wneud dim ohono yn ystod y dydd.

'Mae o wedi bod fel y diafol 'i hun,' cwynai, yr eiliad y cyrhaeddai Megan adref o'r ysgol. A hithau'n gorfod ei ddwndran drwy'r min nos yn lle cael mynd allan i chwarae efo'i ffrindiau. Ciliodd y rheiny o un i un. Cymerai arni nad oedd hi'n malio, ond weithiau byddai wedi bod cyn falched â'i mam petai Ifan heb gyrraedd o gwbwl.

Ei henw hi oedd yr un cyntaf iddo'i yngan. Byddai'n ei dilyn i bobman ar ei goesau priciau. Hi fyddai'n sychu ei ddagrau, a'i ben-ôl yn amlach na pheidio. Hi aeth â fo i'r ysgol y diwrnod cyntaf, ei ewinedd yn brathu i gledr ei llaw a'i goesau'n gwegian 'dano.

'Isio pi pi, Meg.'

'Mi w't ti newydd neud.'

'Isio eto.'

Ei arwain y tu ôl i'r gwrych a thynnu'i drowsus i lawr.

'Ddaw o ddim, Meg.'

'Does 'na ddim byd i ddŵad. Tyd 'laen, neu mi fyddwn ni'n hwyr.'

''Di blino, Meg. Ddim isio mynd.'

Bu'n rhaid iddi ei gario ar ei chefn weddill y ffordd, a gofyn i Miss wneud yn siŵr ei fod yn mynd i'r tŷ bach mor amal ag oedd bosib. Ond roedd o'n wlyb domen erbyn amser cinio.

'Well i chi fynd â fo adra,' meddai Miss gan grychu ei thrwyn.

Ac adra yr aethon nhw.

'Be dach chi'n neud yn ôl 'radag yma?' holodd Mam, oedd wedi bod yn edrych ymlaen at y diwrnod ers misoedd.

'Ifan sydd wedi gwlychu'i drowsus.'

'Yr hen fochyn bach!'

'Methu dal oedd o.'

'Mi fydd yn rhaid iddo fo ddysgu dal, fel pawb arall.'

Ond doedd Ifan ddim yr un fath â phawb arall. Fe wyddai Megan hynny ymhell cyn iddi ddeall pam.

Ni chafodd fynd yn ôl i'r ysgol y prynhawn hwnnw. Toc, roedd hi wedi colli cyfrif o sawl diwrnod gollodd hi oherwydd Ifan.

Ei thad awgrymodd eu bod nhw i gyd yn mynd i lan y môr un Sadwrn yn ystod gwyliau'r haf.

'Well gen i aros adra,' meddai Megan, gan feddwl mor braf fyddai cael diwrnod cyfan iddi hi ei hun i wneud fel y mynnai.

Dechreuodd Ifan udo crio.

'Yli be wt ti 'di neud rŵan,' dwrdiodd ei mam.

Newydd adael y pentref yr oedden nhw pan ddywedodd Ifan,

'Isio bod yn sâl, Meg.'

Bu'n rhaid iddi ofyn i'r gyrrwr stopio.

'Bŷs ydi hon, nid ambiwlans,' cwynodd yntau.

Cael a chael oedd hi na fyddai wedi chwydu yn y fan a'r lle a chodi mwy o gywilydd fyth arni. Wrth iddi sychu ei wyneb ag un o'r hancesi papur na fyddai byth yn mentro hebddynt, gwelodd ei brodyr yn gwneud stumiau arnynt drwy'r gwydr. Ond roedd ei mam a'i thad wedi troi eu hwynebau draw.

Prin eu bod wedi cyrraedd y traeth nad oedd ei thad a'r bechgyn wedi newid i'w gwisgoedd ymdrochi ac yn ei gwadnu hi am y môr. Cyn iddi hi gael cyfle i newid, bu'n rhaid iddi fynd i nôl cadair ganfas i'w mam. Mynnodd

Ifan ei helpu i'w gosod ac aeth ei fys yn sownd yn y plygiad. Roedd y waedd a roddodd yn ddigon i dynnu sylw pawb.

'Dos â fo o 'ngolwg i, bendith nefoedd i ti,' ysgyrnygodd ei mam. 'Dwrnod o wylia ydi hwn i fod.'

Cododd Ifan ar ei chefn a throtian dros y tywod gan gymryd arni fod yn ful bach.

'Isio reid ar ful go iawn, Meg.'

Bu'n rhaid iddi dalu o'i phres poced ei hun, gan na feiddiai aflonyddu ar ei mam, a cherdded wrth ochr y mul am nad oedd Ifan yn fodlon gollwng ei afael arni. Aeth ei eisiau a'i swnian â'r pnawn i gyd. Roedd yr haul yn rhy boeth a'r tywod yn llosgi'i wadnau, y gwres yn gwneud iddo fod eisiau diod, a'r diod yn gwneud iddo fod eisiau pi pi.

'Dydw i ddim yn mynd â chdi i'r lle chwech eto,' meddai hi. 'Mi gei neud i'r môr.'

Wrth iddynt nesáu at y dŵr gallai glywed un o'i brodyr yn galw,

'Tyd 'laen, Meg. Mae o'n gynnas braf.'

Cododd ei thad ei law ac amneidio arni. Teimlodd hithau'r tonnau bach yn cyrlio am fodiau'i thraed. Ysai am gael gorwedd yno a gadael iddynt lapio amdani. Ond roedd Ifan yn tynnu'n ôl.

'Be sy rŵan?'

'Mae o'n oer.'

'Nag'di ddim.'

'Ydi mae o.'

'Mi ddoi di i arfar efo fo.'

'Ddim isio arfar.'

Cafodd ei themtio am eiliad i'w wthio ar ei hyd i'r dŵr,

ond gwyddai beth fyddai canlyniad hynny. Yn ôl yr aethon nhw, heb iddi gael gwlychu'i choesau hyd yn oed.

''Drycha ar hwn yn crynu fel 'tasa hi'n ganol gaea a phawb arall yn chwys diferol!' ebychodd ei mam.

Edrychodd hithau ar y corff bach gwyn a'r breichiau a'r coesau priciau.

'Ddo i byth i lan môr eto,' meddai.

'Na finna,' ategodd Ifan.

Gadawodd Megan ysgol y pentref yn benderfynol o wneud rhywbeth ohoni ei hun, er nad oedd ganddi amcan beth. Roedd Ifan yn daer am gael ei danfon at y bỳs y bore cyntaf.

'Dydw i ddim isio chdi'n agos i'r lle,' meddai hithau.

Ni wnaeth ond edrych yn dorcalonnus arni, fel ci wedi cael cweir. Syllodd Megan yn ddirmygus ar yr wyneb gwelw. Allan efo'r bechgyn y dylai fod, yn cicio pêl a chicio'i gilydd, yn dringo coed a rhydio'r afon, ac yn dod adra'n drewi o chwys a mwd.

'Be mae Ifan bach yn mynd i neud hebddat ti?' holodd un o'r merched pan oedden nhw'n aros am y bỳs.

Ond ni faliai hi beth ddeuai ohono rŵan ei bod wedi cael ei thraed yn rhydd o'r diwedd.

Er iddi drio'i gorau glas, roedd hi'n rhy dwp ac wedi colli gormod o ysgol i allu gwneud dim ohoni. Byddai'n treulio'r min nosau a'r Sadyrnau efo Janice, geneth o'r dref oedd yn gwybod llawer gormod o'i hoed, yn swmera yn y siopau ac yn llygadu bechgyn, er nad oedd ganddi hi ddiddordeb yn y naill na'r llall. Ni allai fforddio prynu a chawsai ddigon ar fechgyn i bara oes.

Roedden nhw'n cerdded drwy'r dref un amser cinio pan dynnodd Janice ei sylw at ddyn oedd yn eistedd ar fainc ar ei ben ei hun.

'Un ohonyn *nhw* ydi hwnna,' sibrydodd.

'Un o be?'

'Pwfftar 'te. Pansan go iawn. Chwilio am gariad mae o.'

'Faswn i ddim yn 'i ffansïo fo.'

'Na fynta chditha. Mae 'na ddau ohonyn nhw yn byw efo'i gilydd yn stryd ni. Fe ddaru rhai o'r hogia dorri pob ffenast yn y tŷ a sgriblan geiria budur ar y palmant.'

Er nad oedd yn hidio fawr am Janice, roedd hi ar goll hebddi, a phob dydd Sul yn fwrn arni. Unwaith, pan aeth y diflastod yn drech na hi, gofynnodd i Ifan oedd ganddo awydd dod am dro.

'Wt ti isio i mi ddŵad, o ddifri?' holodd.

'Mi dw i 'di gofyn, yn do?'

'Ond w't ti?'

Petai'n dweud ei bod, er nad oedd hi ddim, o ddifri, dyna ddiwedd ar ei rhyddid hi. Byddai Ifan yn glynu wrthi fel caci mwnci unwaith eto. Cofiodd fel y bydden nhw i gyd yn dweud, 'Chdi mae o isio, Meg.' A hithau'n ddigon gwirion i ymateb i'r eisiau diddiwedd. Colli'i ffrindiau, colli'r ysgol, colli'r cyfle i wneud rhywbeth ohoni ei hun.

'Dim ots gen i. Gna fel lici di'r pansan bach.'

'Doedd hynna ddim yn beth neis i'w ddeud,' dwrdiodd ei mam.

'Dyna ydi o.'

'Be arall sy i'w ddisgwyl a chditha 'di mwytho gymint arno fo?'

'Ches i ddim dewis. Doedd 'na neb arall yn cymryd sylw ohono fo. Ond wna i mo hynny byth eto.'

'Mae'r drwg wedi'i neud, dydi?'

Ni chafodd ddewis chwaith pan fynnodd Janice fynd adref efo hi un prynhawn Gwener.

'Lle cest ti afa'l ar yr hogan bowld 'na?' holodd Mam. 'Dim rhyfadd dy fod ti ar 'i hôl hi efo dy waith ysgol. Mynd i drwbwl neith hi, gei di weld, a chditha i'w chanlyn hi.'

'A' i ddim, reit siŵr,' haerodd hithau. 'Fedra i ddim diodda hogia.'

Er bod ganddi gywilydd o'i ffrind, roedd Ifan wedi codi mwy fyth o gywilydd arni. Gwnaethai Janice ati i dynnu arno. Credai Megan yn siŵr, wrth weld y gwrid yn llifo i'w wyneb, ei fod ar dorri i grio unrhyw funud. Yn ei hofn i hynny ddigwydd, mentrodd dynnu gwg Janice drwy ddweud wrthi am adael llonydd iddo.

'Pam dylwn i?' holodd honno'n herfeiddiol.

'Am 'i fod o'n wahanol, dyna pam.'

'Mi w't ti'n gwbod be ydi o, dwyt?'

Oedd, roedd hi yn gwybod. Ac o'r diwrnod hwnnw ymlaen, gwnaeth ati i'w osgoi.

Nid oedd gan Megan unrhyw ddewis ond gadael yr ysgol. Cafodd Janice le iddi mewn caffi yn y farchnad. Fel ffafr, meddai hi, gan ei bod hi mor glên wrth y bòs. Byddai'r ddau yn diflannu i'r gegin bob hyn a hyn a phawb yn gorfod aros am eu bwyd nes ei fod o wedi cael ei damaid.

'Wn i'm sut w't ti'n gallu diodda'r slob budur,' cwynodd Megan.

'Drwy gau fy llygid a meddwl am y bonys.'

Ond roedd Janice wedi cau ei llygaid un waith yn ormod. Sac gafodd hi yn hytrach na bonws, a'i galw'n slwt a hwren gan y slob a allai fod yn dad i'r babi.

'Watsia di o, Meg,' rhybuddiodd.

'Mae o'n gwbod yn well na thrio dim efo fi.'

'Ydi, ran'ny.'

Roedd y ddwy yn dal i gyfarfod bob pnawn Sadwrn a Janice yn dal i lygadu'r bechgyn heibio i'w mynydd o fol.

'W't ti'n cofio'r pwfftar hwnnw fydda'n ista ar y fainc 'cw?' holodd un Sadwrn. 'Mi gwelis i o ddoe. Roedd 'na rywun efo fo.'

Yna, pan na ddangosodd Megan unrhyw ddiddordeb, meddai,

'Wn i'm ddylwn i ddeud, ond dydi o ddim ond yn deg i ti ga'l gwbod er mwyn i ti allu rhoi stop arno fo cyn i betha fynd rhy bell.'

'Does nelo fi ddim byd â fo.'

'Ond faswn i ddim yn gadal i 'mrawd focha efo un fel'na.'

Aeth i fyny i'r llofft at Ifan y noson honno a'r holl boen a ddioddefodd o'i herwydd yn dân ar ei chroen. Cyn iddo allu mynegi ei syndod o'i gweld yno, meddai,

'Mi w't ti 'di gneud hi tro yma, yn do'r pansan bach?'

'Gneud be?'

'Hel o gwmpas yr hen ddyn budur 'na yn y dre. A waeth i ti heb â gwadu. Mi welodd Janice chdi.'

'Ffrindia ydan ni.'

'Ond pwfftar ydi o.'

'Hoyw.'

'Y?'

'Dyna be ydan ni'n ca'l ein galw rŵan.'

'Ac mi w't titha'n un ohonyn nhw?'

'Ydw, ond ddim o ddewis. Fedra i'm bod yn ddim byd arall.'

Edrychodd arno am y tro cyntaf ers misoedd. Ifan bach, bellach cyn daled â hi, ond yr un mor denau a'i lygaid yn fawr a chlwyfus yn ei wyneb gwelw.

'Arna i mae'r bai 'te?'

'Naci siŵr. Chdi oedd yr unig ffrind oedd gen i. Doedd neb arall f'isio i. Mi fydda'n well 'taswn i rioed wedi ca'l 'y ngeni.'

Y munud nesaf roedd hi'n lapio'i breichiau amdano fel y gwnaethai pan oedd o'n fabi, ac yntau'n beichio crio. Gallai deimlo'r gwlybaniaeth yn socian drwy'i blows.

'Paid byth â deud hynna eto.'

'Ond mae o'n wir. Be mae Mam a Dad yn mynd i'w feddwl ohona i?'

'Does dim rhaid iddyn nhw wbod dim.'

'Maen nhw'n siŵr o ddŵad i wbod.'

Hi fu'n rhaid dweud wrthynt. Roedd 'na griw o fechgyn wedi ymosod ar Ifan a'i ffrind ar y stryd un noson a'r heddlu wedi cael eu galw. Daeth un o'r glas draw i'w holi.

'Do'n i ddim yn licio'i agwedd o,' cwynodd Mam. 'Roedd o fel 'tasa fo'n beio'r hogyn 'ma, a hwnnw'n rhy ddiniwad i godi'i ddwrn at neb.'

'Eglura di iddyn nhw, Meg,' erfyniodd Ifan. 'Fedra i ddim diodda rhagor.'

Gwnaeth hithau hynny, mor ofalus ag oedd modd.

'Dydi o ddim byd i fod cwilydd ohono fo,' meddai, gan geisio ei hargyhoeddi ei hun yr un pryd. 'Mae 'na filoedd ohonyn nhw o gwmpas, rhai yn bobol enwog iawn.'

Ond nid oedd y nifer na'r enwogrwydd yn cyfri dim i'w rhieni. Roedd y ddau'n gytûn fod Ifan wedi dwyn gwarth ar y teulu.

'Mi dw i isio chdi allan odd'ma heno,' ysgyrnygodd ei dad. 'Does 'ma ddim croeso i un o dy siort di.'

'Chafodd o rioed groeso yma.'

'Mi fydda'n well i ti gau dy geg,' rhybuddiodd ei mam. 'Mi fydda hwn mor normal â'r hogia erill oni bai amdanat ti.'

'Fedrwch chi mo'i droi o allan.'

'O, medrwn. Mae o'n ddyn o ran 'i oed.'

'Dyn o gythral!' ebychodd ei thad.

'Ond be mae o'n mynd i neud?'

'Dydi o'm tamad o ots gen i. Gofala di amdano fo, gan mai chdi sy'n gyfrifol.'

Gallai fod wedi gadael iddo gymryd ei siawns a mynnu tuthio ymlaen ar ei phen ei hun. Ond parodd yr ofn o feddwl beth ddeuai ohono, a'r euogrwydd oedd yn cnoi o'i mewn iddi ofyn,

'W't ti isio i mi ddŵad efo chdi?'

Roedd hi'n difaru'r eiliad nesaf. Ond roedd y drwg wedi'i wneud.

'Lle'r awn ni, Meg?'

'I rwla ddigon pell o fan'ma.'

Aros am y trên yr oedden nhw pan ofynnodd Ifan â chryndod yn ei lais,

'Be 'dan ni'n mynd i neud ar ôl cyrradd?'

Gwyliodd Megan y gwynt yn cario'r gorffennol na allodd hi wneud dim ohono i ganlyn yr ysbwriel. Doedd o fawr o beth, ond dyna'r cwbwl oedd ganddi. Gwelodd eto'r grechwen ar wyneb Janice wrth iddi ofyn,

'Mi w't ti'n gwbod be ydi o, dwyt?'

Symudodd ychydig gamau oddi wrtho. Ond roedd o yno wrth ei sodlau.

Rai oriau'n ddiweddarach roedden nhw'n sefyll ar ynys unig yng nghanol môr mawr estron. Teimlodd Megan ias o gryndod yn rhedeg drwyddi.

'Be sy, Meg?'

'Oer ydw i.'

'A finna.'

Gafaelodd Ifan yn ei llaw. Teimlodd hithau'r ewinedd yn brathu i'w chnawd ac meddai a'i choesau'n gwegian 'dani,

'Ond mi ddown ni i arfar 'sti.'

Bachgen da ’di Dafydd

Roedd Dafydd yn batrwm o fachgen, bob amser yn ufudd a chwrtais ac mor awyddus i blesio. Ond doedd o’n plesio neb ond ei fam a’i dad. Dydi’r rhai sy’n gosod esiampl byth yn ei chael hi’n hawdd gan eu bod nhw’n peri i bawb arall ymddangos ar eu gwaetha.

Awel dyner o lais oedd ganddo, un nad oedd wedi’i fwriadu i yngan na gair croes na geiriau anweddus. Corff main, taclus, yr un mor bropor mewn dillad gŵyl a gwaith. Gwallt wedi’i eillio’n gwta a phob blewyn yn ei le, croen llyfn ac ewinedd glân. A gwên ddylai fod yn ddigon i wneud i bawb deimlo’n well. Hogyn da. Rhy dda o beth gythral ym marn y rhan fwyaf.

Byddai Dafydd ei hun yn ysu am gael bod yn ddrwg ar adegau, neu’n ddrygionus o leia, ond fedra fo ddim. Rhoddodd gynnig sawl tro ar ystumio’i wyneb i geisio cael gwared â’r wên ond roedd hi yno i aros, am byth yn ôl pob golwg. Roedd y wên honno’n ddraenen yn ystlys sawl un.

‘Be gythral sy gan hwn i wenu’n ’i gylch drwy’r amsar?’ medden nhw gan wgu.

Gwenwyn, dyna oedd o. Mae rhai’n dweud fod cenfigen yn wrtaith, ond pwy yn ei lawn synnwyr fyddai eisiau cael trochfa o hwnnw?

Rhyw ddechrau tyfu i fyny yr oedd o, rai camau ar ôl pawb arall, ei groen yr un mor llyfn a glân a’r wên yn glynu wrtho fel y gelan. Nos Sadwrn o haf cynnar oedd hi a chriw o fechgyn yn disgwyl ar sgwâr y pentref am y bỳs mini fyddai'n mynd â nhw ar eu sgawt wythnosol i'r dre. Petai Dafydd heb ddigwydd pasio heibio ar ei ffordd i'r siop i nôl tatws i'w fam a phetai'r bỳs yr un mor llawn ag arfer, mae'n bosib y byddai'r un mor dda heddiw. Biti garw am hynny, gan fod pobol dda yn brinnach na phlant da hyd yn oed. Y peth hawdda'n y byd fyddai bwrw'r bai ar ysgwyddau rhywun arall, ond roedd Dafydd gymaint i'w feio â neb, os ydi'r awydd i blesio a methu dweud 'na' yn fai.

''Sgen ti flys dŵad efo ni?' galwodd un o'r bechgyn. 'Mae 'na sêt wag . . . y blydi Ems 'na 'di bod ar y rasl neithiwr ac owt ffor ddy cownt.'

Na, nid oedd arno fymryn o awydd. Roedd ei fam yn aros am y tatws ac yntau'n edrych ymlaen at gael llond bol o sglodion cartra i swper. A dweud y gwir, doedd o ddim yn teimlo fel gwenu chwaith. Roedd ei stumog yn corddi a'r sgidiau newydd yn pinsio'i draed. Ond ni chafodd gyfle i wneud dim ond picio adra i ymddiheuro am y diffyg tatws a diolch i'w fam am y papur decpunt.

'Mwynha dy hun,' meddai ei dad.

Byddai unrhyw dad arall wedi siarsio a bygwth, heb fod damaid elwach, ond doedd dim angen hynny.

Oni bai am y stumog wag a'r sgidiau, gallai Dafydd fod wedi mwynhau'r profiad o beidio â bod yn dda am y tro cyntaf erioed. Peth naturiol fyddai gweld bai ar y bechgyn. Efallai nad oedden nhw wedi bwriadu tynnu arno, ond roedd o'n gyfle rhy dda i'w golli. On'd oedden nhw wedi dioddef eu siâr o'i herwydd o? A sut oedd bosib iddyn nhw wybod am ei stumog a'i draed? Mae gwên yn gallu cuddio pob math o boenau. Wydden nhw ddim chwaith ei fod yn teimlo'n swp sâl ac yn brwydro i gadw'r cyfog ar drai. Roedden nhw braidd yn siomedig o'i weld mor sobor o lonydd, ac yn dechrau meddwl efallai nad oedd o mor uffernol o dda wedi'r cwbwl.

Llwyddodd Dafydd i ddal y llanw uchel yn ôl nes eu bod nhw wedi troi eu cefnau ac yn ei heglu hi am eu cartrefi yn sŵn ac yn orchest i gyd. Ond methu osgoi ei sgidiau wnaeth o. Gallodd sleifio i'w lofft, eu taro yn y bocs yn drwch o gyfog, a gwthio hwnnw i ben draw'r wardrob.

'Lle mae dy sgidia newydd di?' holodd ei fam drannoeth.

'Waeth i mi wisgo'r hen rai ddim, i'w harbad nhw.'

A dyna'r celwydd cynta. Fel y gŵyr pawb, hwnnw ydy'r un sy'n deor ar ragor o gelwyddau. Petai wedi 'morol ati i lanhau'r sgidiau, efallai y gallai fod wedi osgoi hynny. Ond yno y cawson nhw fod nes i'w fam ddod o hyd iddynt yn ystod ei glanhau gwanwynol. Roedd hi'n rhy hwyr erbyn hynny a'r hogyn da, ufudd, cwrtais, awyddus i blesio wedi ei argyhoeddi ei hun ei fod wedi gwastraffu chwarter ei oes. Nid oedd wedi sylweddoli tan y nos Sadwrn honno yn y dref gymaint o anfantais oedd daioni ac fel yr oedd o wedi gorfod dioddef o'i herwydd.

Roedd peidio â bod yn dda yn ddigon anodd ar y dechrau, ond bu meddwl am y sgidiau ym mhen draw'r wardrob yn help iddo allu dygymod â'r gwallt at ei ysgwyddau, y baw o dan ei ewinedd a'r rhwygiadau yn ei jîns. Yn ffodus, roedd yr awel o lais wedi datblygu'n chwa o wynt ac yn gallu cynnal geiriau croes a rhai anweddus fel ei gilydd. Daeth yn ddigon hyf i roi tafod iddyn nhw yng nghlyw ei rieni.

'Be sy 'di digwydd iddi fo, d'wad?' holodd ei fam yn ei dychryn. 'Roedd o'n arfar bod yn hogyn mor dda.'

'Tyfu i fyny mae o. Mi ddaw ato'i hun toc.'

Ond gwaethygu wnaeth o. Diflannodd y wên. Nid oedd ganddo ddim i wenu yn ei gylch bellach. Byddai wedi rhoi'r byd weithiau am gael bod fel yr oedd o, pan allai edrych yn y drych heb gasáu'r wyneb a syllai'n ôl arno. Ond roedd yr wyneb hwnnw i weld yn plesio pawb ond ei fam a'i dad.

Pan ddaeth ei fam o hyd i'r sgidiau, aeth â nhw i'w dangos i'w gŵr.

'Maen nhw'n drewi o lwydni,' cwynodd gan grychu'i thrwyn. 'Be wna i efo nhw?'

''U taflu nhw i'r bin. Wisgith o mo rheina eto.'

'Biti hefyd. Sgidia da. Well i mi brynu pâr newydd iddo fo. Mae'i draed o drwy'r hen rai.'

'Gad iddo fo. Os mai fel'na mae o isio bod.'

Byddai'n gorweddian yn ei wely tan ganol dydd, heb osio chwilio am waith. Daliai ei fam i weini arno, ei chalon yn brifo wrth gofio'r hogyn bach oedd mor barod i helpu, ond yn gyndyn o ildio'r gobaith nad oedd hwnnw wedi diflannu'n llwyr i ganlyn y wên.

Roedd o'n fwy na pharod i helpu Ems a'r lleill i dorri i mewn i dai yn yr ardal, ac nid er mwyn plesio. Hobi oedd hynny, nid gwaith. Ond methodd ddianc yn ddigon cyflym un noson. Effaith yr holl ddiogi, mae'n siŵr. Cafodd ei roi mewn cell dros nos ac aed â'i sgidiau oddi arno.

'Mae 'na well ogla ar doman dail,' meddai'r Siarsiant gan eu dal o hyd braich.

Gwrthododd ei dad dalu'r dirwy, ar waetha ymbil ei fam, a bu'n rhaid iddo godi o'i wely a thalu'i ddyled i'r gymdeithas.

'Mi dan ni'n dau'n siomedig iawn ynat ti,' cwynodd ei dad.

'A finna ynoch chitha. Yn gwrthod arbad 'ych mab 'ych hun.'

'A be w't ti 'di neud i ni?'

'Gormod o beth gythral. Rois i'r un eiliad o boen i chi am ddeunaw mlynadd.'

'Ond mi w't ti'n gneud i fyny am hynny rŵan.'

'Ca'l dy hudo gen yr hen hogia 'na ddaru ti 'te,' meddai ei fam, oedd yn ysu am gael rhoi ei breichiau amdano ond yn ofni mentro'n rhy agos. 'Addo i mi na wnei di byth mo hynna eto.'

Roedd o eisiau addo hynny, yn fwy hyd yn oed na rhedeg siswrn drwy'i wallt a dŵr dros ei gorff a gwneud coelcerth o'r dillad a'r sgidiau drewllyd. Cael estyn y sgidiau newydd o'r bocs a sgrwbio pob arlliw o'r noson honno oddi arnyn nhw. Diodda'r pinsio efo gwên ar ei wyneb a'u teimlo nhw'n stwytho fesul tipyn wrth iddo ailffeindio'i draed. Ond fedra fo ddweud na gwneud dim.

Dyn a ŵyr sut cafodd o gariad. Mae'n rhaid ei bod hi wedi colli'i synnwyr arogli, i ganlyn sawl synnwyr arall. Ond efallai nad eu colli nhw wnaeth hi, o ran hynny. Hogan ddrwg oedd Sheila wedi bod erioed. A bod yn deg, doedd 'na neb o gwmpas i'w dysgu hi sut i fod yn dda, a chymryd fod hynny'n bosibl. Un ddigon di-siâp oedd hi, yn gluniau ac yn fronnau i gyd, modrwy yn ei botwm bol a styds yn ei thrwyn, ei hamrannau a'i gwefusau. Caru o'r gwddw i lawr y bydden nhw gan fod rheiny'n cripio'i wyneb, yn brathu i'w wefus ac yn gadael blas drwg ar ei geg. Canlyniad y caru hwnnw oedd ei gwneud hi'n fwy di-siâp fyth, ei bol yn bochio dros ei sgert hances boced a'r fodrwy'n hongian ohono fel bwlyn drws.

Er nad oedd Dafydd eisiau dim i'w wneud efo hi na'r babi, mae'n rhaid fod yna rywfaint o'r daioni'n dal i lechu mewn cornel fechan ohono.

'Mi 'drycha i ar d'ôl di,' meddai.

Rhythu arno wnaeth hi, fel petai'n siarad iaith estron.

'A gneud be 'lly?'

'Bod efo chdi 'te.'

'Yn lle?'

'Y fflat. Fydda 'na ddim croeso i ni acw.'

Doedd yna ddim croeso yn y fflat chwaith, gan na wyddai neb ystyr y gair. Er bod yna gymaint ohonyn nhw, yn mynd a dŵad bob awr o'r dydd a'r nos, roedd o ddigon hapus. Waeth un gwely mwy na'r llall, er bod hwnnw braidd yn gyfyng. Gan fod y fflat ar seithfed llawr y bloc ac edrych allan drwy'r ffenestr yn codi'r bendro arno, gorweddian yno y buo fo, yn ddiogel rhag y gweiddi a'r ffraeo y tu arall i'r drws, a'i fol, fel un Sheila, yn mynd yn fwy bob dydd.

'Byta i ddau, ia?' holodd ei mam wrth ei weld yn pentyrru'r sglodion ar ei blât.

'Gneud 'i chips 'i hun fydda Mam. Rhai da oeddan nhw hyfyd. Lot gwell na'r hen betha siop 'ma,' gan wthio fforchaid helaeth i'w geg.

'Pam na ei di adra ati hi 'ta?'

'Fedra i ddim. Mi dw i 'di addo edrych ar ôl Sheila.'

'Mae *hi* ddigon abal i edrych ar 'i hôl 'i hun. 'Di bod rioed.'

Aeth y pwyslais ar yr 'hi' i mewn drwy un glust ac allan drwy'r llall.

'Ydi dy fam a dy dad yn gwbod lle w't ti?'

'Nag'dyn. Doeddan nhw ddim ond yn rhy falch o 'ngweld i'n gadal. Roedd pob dim yn iawn nes i mi fynd i'r dre efo'r hogia un nos Sadwrn. 'Na pryd rois i'r gora i fod yn hogyn da.'

Syllodd mam Sheila arno mewn penbleth, fel petai wedi clywed yr ymadrodd hwnnw yn rhywle, rywdro.

'Be ti'n feddwl?'

'Gneud pob dim ddylwn i 'te. Gwenu drwy'r amsar.'

'Pam 'lly?'

'Am ma dyna o'n i isio'i neud, am wn i.'

Heb na deall na dychymyg, a llai fyth o ddiddordeb, gadawodd mam Sheila'r llestri budron lle'r oedden nhw a'i heglu hi am ei Bingo. Aeth Dafydd yn ôl i'w wely, i geisio gwneud yn fawr ohono cyn i Sheila gyrraedd o ble bynnag roedd hi'n mynd a hawlio'i dri chwarter, ond cadwodd camdreuliad ef yn effro am oriau. Mae stumog orlawn yn gallu achosi cymaint o boen â stumog wag.

Cyrhaeddodd y babi heb fawr o drafferth, ond i gyfeiliant cacoffoni o sgrechian a rhegi. Roedd y rhegfeydd yn brifo clustiau Dafydd er na fyddai wedi cyfaddef hynny wrth neb. Tebyg iddo fo, fel roedd o, oedd y bychan. Dyna pam y cymerodd ato o'r munud cynta. Byddai'n eistedd am oriau, ei gefn at y ffenestr a'r babi'n gorwedd ar glustog ei fol, yn gwneud dim ond dotio. Nid oedd Sheila, rŵan ei bod wedi cael gwared â rhan helaeth o'i bol, ond yn rhy falch o'r cyfle i ddychwelyd i'w hen lwybrau.

Un diwrnod, gwenodd y bychan, a gawsai ei enwi'n

David, ar ei dad, gan ddeffro synhwyrau a fu dan glo cyhyd. Plethodd ei freichiau amdano a sibrwd yn ei glust,

'Hogyn da. Hogyn dad bob tamad.'

Aeth ag ef drwodd i'r cwt ieir o ystafell a sgrwbio'r bath cyn laned ag oedd modd cyn mynd ati i'w molchi.

'Be w't ti'n 'i neud mor hir yn fan'na?'galwodd mam Sheila.

'Ca'l gwarad â'r baw.'

Pan ddaeth allan o'r diwedd, meddai hi,

'Dw't ti'n edrych ddim gwahanol.'

'Ddim eto. Ydach chi'n meddwl y bydd ots gen Sheila os a' i â David adra efo fi?'

Roedd hwnnw'n gwestiwn cwbwl annisgwyl i un oedd wedi hen arfer â chael pawb yn gwneud fel y mynnen nhw, a hynny heb ffeuen o ots. Teimlodd Dafydd ias o ofn wrth ei gweld yn petruso.

'Falla dylwn i ofyn iddi hi.'

'Wn i'm i be. Dy hogyn di ydi o.'

Er na chafodd groeso'r mab afradlon, hogyn ei fam a'i dad oedd yntau'n dal i fod.

'Gawn ni'n dau aros yma?' holodd yn betrus.

'Cewch, siŵr.'

'A be w't ti 'di bod yn 'i neud ers pan welson ni chdi ddwytha?'

'Dim byd o werth, Dad . . . ond ca'l hwn 'te.'

Pan welodd y fam y llygaid gleision mewn wyneb oedd yn sgleinio o ôl dŵr a sebon yn cewcian arni heibio i wallt seimllyd ei mab meddai,

'Mae gen "hwn" enw, siawns?'

'Oes. 'Run enw â fi.'

Teimlodd hithau'r fflam egwan o obaith nad oedd wedi llwyr ddiffodd yn ailgynnau o'i mewn.

'Ydi o'n iawn i mi ga'l bath?'

'Does dim angan gofyn.'

'Mi w't ti ddigon o angan trochfa iawn,' cwynodd ei dad.

'Wn i. Mi ro i siswrn drwy'r mwng 'ma 'fyd. Dydw i ddim isio i'r hogyn bach 'ma fod cwilydd ohona i, yn nag'dw?'

Rhai pryderus iawn oedd y dyddiau cynnar i'w rieni a'r ddau'n methu byw yn eu crwyn, ofn gweld plismon yn galw i gyhuddo Dafydd o ddwyn y plentyn. Roedd hynny ddigon naturiol o gofio fod ganddo ddwylo blewog.

'W't ti'n meddwl 'i fod o yma i aros?' holodd ei dad.

'Mi dw i'n gobeithio 'u bod nhw.'

'A pryd mae o'n bwriadu dechra chwilio am waith, tybad?'

'Rho gyfla iddo fo. Un cam ar y tro 'te?'

O'r diwedd, mentrodd ei fam ofyn,

'W't ti'n bwriadu mynd yn d'ôl?'

'I lle?'

'Ble bynnag doist ti ohono fo.'

'Fydda hynny ddim yn deg efo Dafydd bach.'

'Ond be am 'i fam o?'

'Go brin 'i bod hi wedi gweld 'i golli o.'

'Tybad?'

'Mae hi'n gwbod lle i ddŵad o hyd i ni. Ond peidiwch â phoeni, ddaw hi'm yn agos yma. Doedd hi mo'i isio fo, o'r dechra.'

'A fynta'n siampl o hogyn!'

‘Fyddwch chi ddim dicach os bydd o’n hogyn drwg weithia?’

‘Na fydda, ond ddim rhy ddrwg ’te.’

‘Na rhy dda chwaith.’

Ei fam awgrymodd ei fod ef a’r bychan angen ychydig o awyr iach. Hi hefyd ddaeth â’r bocs i lawr o’r wardrob ac estyn y sgidiau, na allodd eu taflu i’r bin, iddo.

‘Maen nhw fel newydd!’

‘Does dim rhaid i ti ’u gwisgo nhw os nad w’t ti’n barod i hynny.’

‘Mi dw i’n meddwl ’mod i.’

Ond doedd o ddim yn rhy siŵr. Go brin fod pobol y lle wedi maddau iddo. Sut y gallai ymdopi â’r hen wenwyn ac yntau bellach yn gallu syllu i’r drych heb gasáu’r wyneb a syllai’n ôl arno? Ond ni fyddai’n rhaid iddo fod wedi poeni. Dafydd bach gafodd y sylw i gyd. Gwnaeth un neu ddau ymdrech i’w gael i wenu drwy dynnu stumiau arno a’i gosi o dan ei ên, ond methu wnaethon nhw.

Wedi iddynt droi eu cefnau, syllodd Dafydd i fyw’r llygaid gleision gan sibrwd,

‘’Na be ydi hogyn da.’

Gwenodd y bychan arno a’i lygaid yn pefrio.

Cerddodd y tad yn ei flaen, ei sgidiau’n pinsio’i draed. Ac er gwaetha’r boen, roedd cysgod gwên ar ei wyneb yntau.

Gee ceffyl bach

Mae'r dyn 'na wedi bod yn sbecian arna i drwy gil ei lygad ers rhai munuda. Rŵan, mae o'n troi ei gefn arna i, yn sibrwd wrth y bobol sydd efo fo, ac yn ysgwyd ei ben. Fetia i ei fod o'n clecian ei dafod hefyd, fel bydda Nain wedi iddi fy nal i'n gneud rhyw ddrwg. 'Wn i'm be i neud efo chdi, na wn i wir' – ddega o weithia, drosodd a throsodd fel tiwn gron. Mi fydda'n well 'tasa hi wedi rhoi cythral o gweir i mi, un waith ac am byth.

Meddwl 'mod i wedi'i dal hi mae o, reit siŵr. 'Tasa hynny'n wir, a biti nad ydi o, fydda dim o hyn wedi digwydd. Mi fyddwn i wedi cyrlio i fyny o dan y cwilt, yn meddwl peth mor braf oedd cael y gwely mawr i gyd i mi'n hun.

Y cwbwl ges i cyn i ni'n dau gychwyn am y dre oedd dafn neu ddau o waelod potal, dim digon i feddwi dryw bach. Rydw i wedi hen arfar â chael fy meio am bob dim, ond nid arna i roedd y bai heddiw. Roedd y car ar ein gwartha cyn i ni gael cyfla i symud. Fe ddaru'r gyrrwr arafu ryw gymaint, digon i weld y beic ar ei ochor a'i olwynion yn chwyrlïo'n eu hunfan a finna ar fy nhin ar ganol y lôn. Ond yn ei flaen yr aeth o. Mi allwn fod wedi torri 'nghoes a methu symud. Am a wyddai o, fe allai car arall ddod unrhyw funud a 'nharo i'n gelain. Er 'mod i'n brifo drosta, mi fedras godi'r beic a'i roi i bwyso'n erbyn y clawdd.

'Sori,' medda fi, a thynnu fy llaw drosto fo, 'ond doedd 'na ddim tamad o fai arnat ti, mwy na finna.'

Wn i ddim sut y llwyddas i i gyrradd y dre. Ro'n i'n ysu am gael rhoi 'nhin i lawr ond fedrwn i'm diodda'i gyffwrdd o â phen bys heb sôn am ista arno fo. Meddwl be i neud nesa yr o'n i pan welas i nhw'n cerddad tuag ata i.

Fel deudodd Nain, fydda neb yn ei lawn synnwyr wedi priodi'r fath labwst. Ond pa ddewis oedd gen i?

'Mi faga i'r babi fel gnes i efo chdi,' medda hi.

A gwthio crefydd i lawr ei gorn gwddw ynta nes ei fod yn tagu arno fo. Fedrwn i ddim gadal i'r peth bach diniwad wynebu hynny. Falla y bydda fo wedi ffynnu ar ddeiet o adnoda, er mai dim ond camdreuliad ges i, ond roedd hi'n ormod o fentar.

I feddwl ma'r hen wep hyll 'na oedd y peth cynta fyddwn i'n ei weld bob bora am ddeng mlynadd. Fyddwn i ddim yn edrych arno fo os medrwn i beidio, o ran hynny. Roedd yr hogyn efo fo, yr un gafodd ei fagu ar ddeiet o regfeydd a geiria budron am fy mod i'n credu i mi ddewis y gora o'r gwaetha. Rydw i'n cofio'i ddal yn fy mreichia a meddwl peth mor ddel oedd o. Ond dim ond wynab mewn llun ac yn fy ngho inna oedd hwnnw bellach. Ro'n i wedi osgoi edrych arno ynta ymhell cyn iddo 'ngadal i.

'W't ti am ddeud helô wrth dy fam?'

Feddylias i rioed y galla neb neud i'r gair 'mam' swnio fel gair budur. Gair glân, cynnas oedd o i'm ffrindia i. Mi fyddwn i'n cael benthyg amball fam o dro i dro, am nad oedd gen i 'run. Rydw i'n cofio un ohonyn nhw'n deud wrtha i, 'Celpan, dyna w't ti angan, hogan fach amddifad neu beidio. Dydi dy nain ddim elwach o ysgwyd pen a chlecian tafod a rhefru am ofn Duw.'

Roedd hi'n iawn. Doedd gen i'm rhithyn o'i ofn O er bod ganddo lygaid yn nhu ôl ei ben; sawl pâr ohonyn nhw, yn ôl Nain. Ond roedd gen i ofn hwnna welas i gynna, ei chwip o lais, y llygaid oedd yn deifio 'ngwar i a'r corff trwm oedd yn mynnu'i hawl i gymryd.

'Mi w't ti 'di gneud dy wely,' medda Nain. Finna'n cofio'r stori am Iesu Grist yn deud wrth y claf o'r parlys – 'Cyfod dy wely, a rhodia'. A hwnnw'n lapio'i fatras a'i sodro o dan ei gesail, ac yn gadal. Ond doedd gen i 'nunlla i fynd, dim ond erchwyn y gwely yr o'n i wedi'i hulio.

''Sgen ti ddim byd i ddeud wrth yr hogyn 'ma?'

Nag oedd, dim. Roedd deng mlynadd o 'mywyd i wedi mynd yn ofar o'i herwydd o. A'r cwbwl am fod yr hogan fach Ysgol Sul, na chafodd hi erioed gariad, na chusan hyd yn oed, eisiau bod yr un fath â phawb arall a chael brolio ei bod hithau wedi mynd yr holl ffordd. Ond hi fu'n rhaid talu am hynny, nid y nhw.

'Waeth i ni fynd felly, ddim.'

Ia, cerwch i'r diawl, y ddau ohonoch chi. Sawl pâr o lygaid oedd gan y diafol, tybad? Mi ddylwn i wbod, a finna wedi byw efo un. 'Cadw di o'i ffordd o', medda Nain. 'Unwaith y caiff o'i grafanga ynat ti, ddoi di byth o'i afa'l o.' Ond doedd gan y diafol y rhois i fy hun yn ei afa'l o'r noson honno na chyrn ar ei ben na chynffon fel draig. Pa obaith oedd gen i o'i 'nabod o?

Mae'r ddau wedi diflannu, fel y gwnaethon nhw ddwy flynadd yn ôl. Tybad ydi'r 'hi' yn dal i aros amdanyn nhw? Mae gen i achos diolch iddi, pwy bynnag ydi hi, am roi cyfla i mi symud o'r erchwyn.

Mi rown i'r byd am gael bod yno'r munud yma. Mi

fydda'n well i mi roi 'mhwysa'n erbyn y polyn 'ma rhag ofn i bobol feddwl, fel nacw sy'n dal i sbecian arna i bob hyn a hyn, fy mod i wedi meddwi. Un diarth ydi o, yma ar ei wylia, debyg. Mae'r lle 'ma'n llawn o bobol yn tindroi'n eu hunfan, neu'n cerddad dow-dow, heb ddim i'w neud ond lladd amsar.

Do'n i ddim wedi bwriadu aros yma, dim ond picio i Spar a'i heglu hi am adra nerth dwy olwyn. Falla y byddwn i wedi cymryd hoe fach cyn dringo'r allt, i dorri sychad. Ond mi fydd yn rhaid i mi aros awr arall am y bỳs. Unwaith, mi fyddwn wedi gallu cerddad i mewn i un o'r tafarna 'ma yn llawn gorchast ac anelu'n syth am y bar. Yfad er mwyn yfad, heb fod ddim o'i angan na'i isio fo, a twll tin i bawb, yn enwedig Nain. Roedd yna rywun wastad yn barod i brynu peint i mi, yn y gobaith o allu manteisio ar hynny. Fe gawson nhw werth eu tipyn pres, ond fo oedd yr unig un i gael mwy na'u gwerth nhw.

Mae'r dyn 'na wedi camu oddi wrth y lleill ac yn dal i edrych arna i dan ei guwch. Mi fedrwn i daeru fy mod i wedi'i weld o'r blaen. Tebyg i rywun ydi o, mae'n siŵr. Maen nhw'n deud fod gan bawb ei ddwbwl. Lle mae f'un i, tybad? Druan ohoni. Ond falla, os ydi fy llygaid a 'nhrwyn a 'ngheg i ganddi, fod ei thu mewn hi'n gynnas ac yn llyfn, tra mae 'nhu mewn i'n damp ac mor gras â phapur tywod.

Wrth iddo gwpanu'i ddwylo am ei leitar i danio sigarét, mi fedra i weld rhwbath yn wincio yng ngola'r fflam. Un fflach fach, dyna'r cwbwl, fel yr un welas i ar y llaw ar lyw'r car wrth iddo wibio heibio. Dim ond cip ges i, ond digon i wbod mai hwn oedd y bastad achosodd y godwm. Oni bai amdano fo, mi fyddwn i ar fy ffordd adra ers meitin. Dim ond picio i mewn ac allan o Spar, a chario'r bag yn fy mreichia fel babi rhag ofn i'r poteli glincian yn erbyn ei gilydd a thynnu sylw. Dydi'r hyn yr ydw i'n ei neud yn fy nghartra fy hun o ddim busnas i neb, ond waeth heb â rhoi gwaith siarad i bobol. Mi wnes i ddigon o hynny, a fi oedd yr un ddaru ddiodda. P'un bynnag, nid yfad er mwyn yfad yr ydw i, ond am fod arna i ei angan o. Ffisig, dyna ydi o. Roedd hyd yn oed Nain yn rhoi llwyaid o wisgi yn ei the i gadw'r annwyd draw, er bod ganddi hi ei chrefydd i'w chadw'n gynnas.

Mae o wedi troi i edrych arna i, yn hollol ddigywilydd. Sut mae ganddo fo'r wynab i neud y fath beth a fynta wedi 'ngadal i'n ddiymadfarth ar ganol y ffordd? Oni bai amdano fo, fyddwn i ddim wedi cael fy atgoffa o betha yr ydw i wedi gneud bob dim fedra i i'w hanghofio. Go brin fod 'na neb wedi trio mor galad. Ond rŵan, mae ogla'r deng mlynadd o hunlla yn llenwi fy ffroena i, a waeth i mi daflu'r llun sydd gen i ar y cwpwrdd o'r hogyn bach del hwnnw i'r tân ddim. Mae'r uffarn dyn 'na wedi difetha'r cwbwl.

Rydw i'n ôl adra ac yn brifo gormod i allu dringo'r grisia. Mi fydda'n well 'taswn i wedi aros ar y bŷs nes ei bod hi'n cyrradd pen ei siwrna. Ond mi welas i'r beic drwy'r ffenast, a gweiddi ar y gyrrwr i stopio. Fedrwn i mo'i adal o yno. Dyna'r unig ffrind sydd gen i. Ei brynu o'n ail-law wnes i, o'r lwfans cadw tŷ. Mi ges i andros o gweir gan y diawl 'na briodas i am feiddio gneud y fath beth, ond rwystrodd hynny mohona i. Mi fyddwn i'n aros, ar biga drain, iddo fo droi ei gefn ac i'r hogyn ei hel hi am yr ysgol, ac i ffwrdd â ni'n dau. Teimlo'r beic bach yn crynu drosto, yn ysu am ei ryddid, fel finna. Herio'r gelltydd, rhydio'r nentydd, a chymryd sbel bob hyn a hyn i hel bloda a chnau a mwyar duon. Gorwadd mewn gwely o wair cynnas a'r haul yn gwilt droston ni, heb neb i ddeud be oeddan ni ei angan na gweld bai arnon ni. Mentro'n rhy bell a charlamu'n ôl fel 'tasa'r diafol ei hun yn ein cwrsio, a chael fod hwnnw wedi llwyddo i gael y blaen arnon ni. Ei herio fo wnes i wedyn, sawl tro, a gorfod talu'n hallt am hynny, ond wn i ddim be fydda wedi dŵad ohona i heb y beic bach.

Roedd gan Nain feic, hen beth mawr afrosgo oedd yn mynnu mynd i'w ffordd ei hun. Y ceffyl haearn fydda hi'n ei alw fo. Mi ges i 'nhemtio i fynd ar ei gefn o un dwrnod, yn y lôn gefn allan o olwg pawb. Ond roedd y Duw oedd yn llond pob lle a'i lygaid ym mhob man wedi 'ngweld i. Cythral o godwm ges i. 'Dyna sydd i'w ga'l am gymryd heb ofyn,' medda Nain. Ond mae rhai'n cael llonydd i neud hynny, heb fod damad gwaeth.

Feiddia i ddim mynd yn agos i'r dre am sbel a finna wedi tynnu gymaint o sylw ata i fy hun. Pan welas i'r dyn 'na'n croesi tuag ata i, fedrwn i ddim godda rhagor. Mi alla i gofio gweiddi rhegi, ei alw fo'n bob enw dan haul. 'Iaith y gwtar', dyna fydda Nain yn ei galw hi wrth fy siarsio i i gadw draw oddi wrth y plant bach coman nad oeddan nhw'n t'wllu na chapal nag eglwys. Hogan fach Nain, fel angal yn ei ffrog wen ffrils ac adenydd o rubana gwynion yn ei gwallt, yn rhaffu'r geiria butra bosib. On'd oedd y sgerbwd gŵr 'na wedi bod yn eu taflu nhw ata i am ddeng mlynadd a finna wedi'u dal a'u storio. Ro'n i wedi estyn amdanyn nhw sawl tro a theimlo'u min ar fy nhafod, fel llafn cyllall. Weithia, roedd fy ngheg i fel petai hi'n llawn o waed. Ond mi fedrwn glywad Nain yn deud, 'Yr hwn sy'n ddieuog, tafled y garreg gyntaf.' Fi oedd wedi agor fy nghoesa a chynnig mwy na gwerth peint; fi wnaeth fy ngwely. Ond heddiw ro'n i'n ddieuog ac yn ddi-fai. Ddwedodd o'r un gair, dim ond camu'n ôl fel 'taswn i wedi rhoi peltan iawn iddo fo.

Dal i weiddi sgrechian o'n i pan ddaeth un o'r merchad oedd efo fo i fyny ata i. Chymerodd hi ddim sylw o'r sgrechian, dim ond ista ar y fainc agosa ati a gneud lle i mi wrth ei hochor. Mi ollyngas inna fy hun yn glewt ar y fainc heb feddwl, a theimlo poen yn saethu drwy 'nghorff. Y munud nesa, roedd hi wedi tanio dwy sigarét ac yn estyn un i mi.

Ro'n i'n barod amdani. Hannar gair, ac mi fydda hitha'n cael yr un driniath. Mae'r petha diarth 'ma'n meddwl fod ganddyn nhw hawl gneud a deud be fynnan nhw. Ond dim ond tynnu yn ei sigarét wnaeth hi a siarad yn dawal bach am bob math o betha. A heb i mi sylweddoli, roedd hi wedi dechra fy holi i, nid yn ddigywilydd, ond fel 'tasa hi isio dŵad i fy 'nabod i. Mi ddeudas inna fwy wrthi nag ydw i wedi'i ddeud wrth neb erioed, am hogan fach Nain ac am y diafol na welas i mo'i gyrn nes ei bod hi'n rhy hwyr. A difaru f'enaid pan ofynnodd hi,

'Ydach chi'n teimlo'n well rŵan?'

'Nag'dw,' medda finna, a theimlo 'ngheg yn llawn gwaed unwaith eto. 'Ac arno fo ma'r bai.'

'Pwy, felly?'

'Y dyn 'na sydd efo chi.'

'Poeni'n eich cylch chi oedd Tom. Ofn eich bod chi'n sâl.'

‘Fo achosodd y ddamwain ’te. Gyrru fel ffŵl efo’r car ’na a gneud i mi syrthio odd’ar y beic. A ’ngadal i yno, heb falio dim.’

‘Roedd pwy bynnag wnaeth hynny ar fai mawr,’ medda hi, yr un mor dawal. ‘Ond nid Tom oedd o. Newydd gyrradd yma ar y bỳs yr ydan ni. Torri’r siwrna ar y ffordd i’r porthladd.’

Mae’n debyg y dylwn i fod wedi deud fod yn ddrwg gen i, ond dydw i rioed wedi ymddiheuro i neb ond fi fy hun a’r beic bach. Mi fedra i glywad Nain yn clecian ei thafod ac yn deud ‘wn i’n be i neud efo chdi, na wn i wir’, ond cweir iawn, dyna o’n i angan, un fydda wedi arbad pob cweir arall. Mae hi’n rhy hwyr i hynny. Joch go dda o ffisig, dyna ydw ei angan rŵan, yr unig gysur sydd gen i nes y byddwn ni’n dau wedi gwella’n ddigon da i gychwyn allan eto a gallu mentro cyn bellad ag y mynnwn ni heb fod ofn na Duw na diafol.

Dydd Sul, Rhagfyr 31, 1899

Gan mai fi pia'r dyddiadur 'ma, mae'n debyg y bydda'n well i mi roi fy enw a 'nghyfeiriad arno fo.

Ifan Evans, 20 Llwybrmain, Douglas Hill, Bethesda, Sir Gaernarfon, Cymru, Prydain Fawr, Y Byd

Mae 'na fap o'r byd ar y wal yn ysgol Bodfeurig. Dim ond sbotyn ydi Cymru arno fo, a dydi Prydain Fawr hyd yn oed, er ei bod hi mor bwysig, yn ddim ond tamad bach. Ond mae Llwybrmain, Douglas Hill, yn ddigon mawr i mi.

ISBN 1 84323 246 4 Pris: £4.99

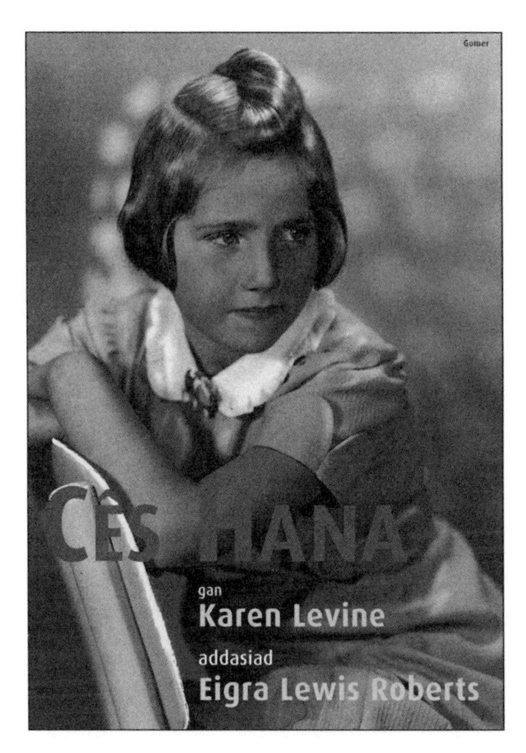

Mewn cwpwrdd gwydr mewn amgueddfa fechan yn Tokyo, Siapan, mae cês. Cês brown. Cês mawr. Mae enw geneth – Hana Brady – wedi'i sgrifennu mewn paent gwyn ar y caead, ynghyd â'i dyddiad geni, Mai 16 1931, a'r gair Almaeneg *Waisenkind* – plentyn amddifad . . .

Mae'r plant sy'n dod i edrych ar y cês yn gwybod ei fod wedi dod o Auschwitz. Ond maen nhw eisiau gwybod mwy. Pwy oedd Hana Brady? I ble'r oedd hi'n mynd? Beth oedd ganddi yn ei chês? A beth ddigwyddodd iddi?

Dyma stori wir dau blentyn Iddewig o Siecoslofacia, a'r hyn a ddigwyddodd iddyn nhw pan oresgynwyd eu gwlad gan y Natsïaid yn 1939. Dyma hefyd stori Fumiko Ishioka, curadur yr amgueddfa, a'r ffordd yr aeth ati i chwilio am atebion i'r cwestiynau hyn. Dewch gyda hi ar daith anhygoel sy'n mynd â ni o Asia i Ewrop ac yn ôl mewn amser i ddyddiau mwyaf brawychus yr Ail Ryfel Byd.

ISBN 1 84323 536 6 Pris: £5.99

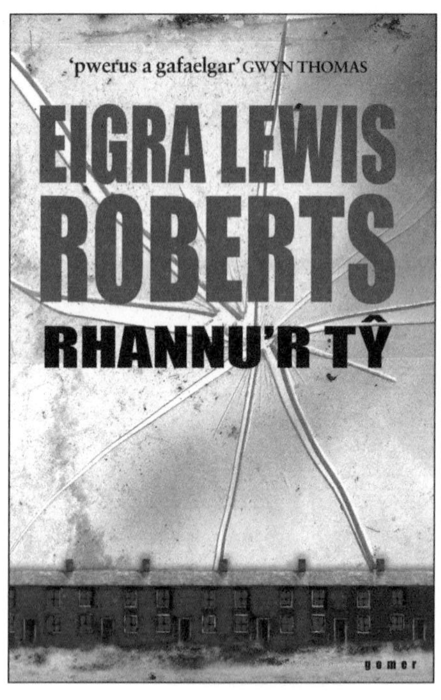

Dewch yn ôl i Fethesda ar ddechrau'r ugeinfed ganrif, adeg streic Chwarel y Penrhyn – digwyddiad a seriwyd ar gof y genedl. Y cloi allan hwnnw, a'r caledi enbyd a ddaeth yn ei sgil, yw cefndir y nofel eithriadol hon gan Eigra Lewis Roberts.

Ystyr yr enw 'Bethesda' yn y Beibl yw 'tŷ tangnefedd' – eironig iawn, o ystyried nad yw'r pentre yng nghysgod y chwarel yn Nyffryn Ogwen yn lle tangnefeddus o gwbl adeg y Streic Fawr. Mae hynny hefyd yn rhoi ystyr ehangach i'r teitl, *Rhannu'r Tŷ*, rhaniad sy'n ymgorffori cartrefi unigol, teuluoedd, capeli a'r pentref i gyd. Wrth i gymdeithas Bethesda gyfan gael ei rhannu, all neb sefyll o'r neilltu. Gall ambell un ddal yn gadarn wrth y gred mai'r rhyfel cyfiawn yw'r streic a bod Duw o'u plaid. Mae'r mwyafrif yn llawn ofnau ac amheuon. Yn y rhannu hwn, gwelir pobl ar eu gorau a'u gwaethaf, yn ceisio ymdopi nid yn unig â'r frwydr allanol ond â'r frwydr fewnol sy'n bygwth dinistrio gobeithion, perthynas a chyfeillgarwch, am byth.

ISBN 1 84323 320 7 Pris: £7.99